ЖЕМЧУЖИНА ЗОЛОТОГО РОГА

Joan + Emerson Heald
Vladivostok
June 1994

ВЛАДИВОСТОК
Издательство "Уссури"
1992

Глава Администрации Владивостока
В. В. ЕФРЕМОВ.

Head of Vladivostok Administration
V. V. YEFREMOV

Дорогие читатели!
Считаю, что сотрудничество между народами в культурной и
экономической областях имеет широкие перспективы, укреп-
ляет взаимопонимание и узы дружбы.
В качестве одного из шагов на этом пути явилось создание
великолепного фотоальбома о Владивостоке. Уверен, что подобные памятные мероприятия внесут достойный вклад в дело
развития дружественных связей между нами.
Желаю вам успехов, счастья процветания, мира.

Dear Readers!
I think that cooperation between nations in the sphere of culture and
economics can be extremely fruitful as well as it can only strengthen
the ties of friendship and mutual understanding.
This album dedicated to the beautiful city of Vladivostok is seen as
one more step along that road. Such actions will contribute a lot to
the development of our friendship.
I wish you all success, happiness, prosperity and peace.

СОПКИ
НАД ГОРОДОМ

ТАЙГА
У ПОРОГА

ДОМ
СИНЕГО ДРАКОНА

ЖЕМЧУЖИНА
ЗОЛОТОГО РОГА

THE GOLDEN
HORN PEARL

ББК 28.088
Ж 53

Автор текста
Н. АЮШИН

Оформление и макет
Г. КУНГУРОВА

Text by
N. AYUSHIN

Designed by
G. KUNGUROV

ISBN 5-85832-019-8

Рассказывают, что в давние-предавние времена при дворе морского царя случился скандал: в очередную ревизию дворцовой сокровищницы недосчитались волшебной реликвии - синего кристалла, управляющего уровнем воды в океанах. Расследование, проведенное придворными мастерами магии, быстро выявило виновника: молодой проказливый дракон, недавно назначенный стражем сокровищницы, страшно скучал во время дежурств и, чтобы скоротать время, забавлялся с содержимым царских сундуков. Положить кристалл на место во время проверки он не успел, а признаваться, зная нрав владыки, было боязно. Самое простое в такой ситуации - бежать, что и было сделано. Морской царь, клокоча от ярости так, что чуть не сдвинулась земная ось, схватил волшебную каменную дубинку и лично бросился в погоню. Впереди вырос берег материка, оставалось оттолкнуться от сухого места и лететь, но тут дракон-похититель позорнейшим образом оступился и забарахтался в прибрежной грязи, смывая в море гигантские куски суши. В это время на горизонте показался морской царь, потрясая дубиной; видя, что обидчик взмывает в воздух, властитель вод изо всех сил швырнул ему вслед свое оружие, но не попал. Дракон от страха выронил кристалл - и на месте его падения разлилось озеро, которое ныне называется Ханка. Брошенная дубинка легла одним концом на сушу, другой затонул в море. Так образовались полуостров Муравьева-Амурского и островная гряда южнее его. Именно здесь в наше время находится один из крупнейших городов Дальнего Востока России - Владивосток.

The story goes that a long, long time ago there happened a terrible scandal in the court of the Sea King. While inspecting the Royal Treasury, he could not find his blue magic crystal regulating the oceans' level. It was revealed that one of the new guards, young dragon, got so bored at his watch that he decided to use the crystal as his plaything. He got scared and instead of returning the relic, knowing the temper of the Sea King, he made up his mind to escape. The infuriated ruler rushed after him grabbing his heavy stone club. The mainland shore loomed in front of the dragon but he stumbled, the crystal slipped from his grip, and where it fell to the earth the blue lake appeared which is now called Khanka. Seeing that the thief tries to fly away, the Sea King threw his weapon but missed, and the club crushed its one end to the land, and the other one - to the sea. Thus, the Muravyov-Amursky Peninsula was formed, as well as the archipelago to the south of it.

В те времена, когда был основан Владивосток, штурманам и гидрографам в работе приходилось довольствоваться немногим: компасом, таким вот секстаном, механическими хронометрами и кое-какими устройствами попроще. Но картами, составленными ими, можно пользоваться до сих пор.

At the times when Vladivostok was founded, navigators and hydrographers used ordinary compass, m e c h a n i c a l chronometers and much simpler insruments. But the maps they made are used even now.

Город, расположенный примерно на 43 с. ш. и 132 в. д., занимает юг полуострова и ограничен с востока, запада и юга морским берегом, а с севера - долиной реки Лянчихэ (Богатая). Территориально он делится на пять районов; население составляет примерно 700 тысяч человек. Помимо полуострова, городскими районами считаются острова архипелага Императрицы Евгении: Русский, Попова, Рейнеке, Рикорда и группа мелких необитаемых островов, и полуостров Песчаный на западном берегу Амурского залива. Климат здесь достаточно мягкий, с легко предсказуемой погодой в зависимости от сезона: теплая весна, дождливое лето, сухая солнечная осень, ветреная малоснежная зима. Мелководный и узкий Амурский залив зимой замерзает, а широкий и глубокий Уссурийский - нет.

Люди начали селиться на берегах залива Петра Великого давно. Самые ранние следы человека в этих местах датируются предположительно третьим тысячелетием до н. э. и относятся к временам новокаменного века. Позже, в первом тысячелетии до н. э., на полуострове Песчаном, на перешейке полуострова Басаргина и на крупных островах архипелага жили люди так называемой "янковской" культуры, оставившие после себя следы многочисленных стоянок, груды ракушек и рукотворные устричные банки, а также каменные орудия, отполированные до зеркального блеска. В более поздние времена, в VIII - XIII веках, земли близ залива входили в состав тунгусских государств - Бохайского царства и Золотой империи чжурчжэней. Летописных упоминаний о событиях в этих местах крайне мало, находки предметов той поры редки и разрозненны.

После падения чжурчжэньского государства под натиском монголов, земли нынешнего Приморья обезлюдели почти на 600 лет. Время от времени здесь появлялись беглецы из охваченного смутами Китая, высаживались японские пираты, смельчаки-одиночки промышляли панты и женьшень.

По рассказам путешественников составлялись карты, с разной степенью достоверности отражавшие реальную географическую действительность. В годы Крымской войны (1854-1855) англо-французская эскадра занималась в этих водах преследованием русского фрегата "Аврора". Поймать его не удалось, зато берега залива были подробно обследованы и положены на карту. А после основания поста Владивосток в 1860 году полуостров Муравьева-Амурского и сопредельные земли начали активно заселяться. Естественно, Владивосток с самого начала занял главенствующее положение в прилегающем районе и удерживает этот статус по сей день. Со временем город превратился в первоклассный порт и коммерческий центр, застроился каменными домами и отгородился от недругов несколькими поясами мощных укреплений. На островах и противолежащих берегах заливов появились рыбалки, промысловые поселки, оленепитомники и многочисленные заимки; шла добыча угля, даров моря, а кое-где - и золота. Текло время, одни поселки исчезали, другие возникали и росли. Нынешнее население города и прилегающего к нему района вскоре обещает приблизиться к миллиону человек.

Now this is the place where one of the major and most beautiful cities of the Russian Far East is - Vladivostok. It occupies the whole southern part of the peninsula at approximately 43N and 132E. Three its sides are washed by waters of the Amursky and Ussuriysky Gulfs, and in the north its border lies along the Lyanchikhe (Bogataya) River valley. The city territory consists of five districts, the population is 700 thousand. Besides the peninsula, the city administratively includes the islands of the Empress Evgeniya Archipelago and the Sandy (Peschany) Peninsula at the west of the Amursky Gulf. The climate of the whole area is rather mild and predictable: warm spring, rainy summer, dry and sunny autumn, windy and snowless winter. The shallow and narrow Amursky Gulf in winter is covered with ice, the wide and deep Ussuriysky Gulf remains clear.

The first people appeared at the Peter the Great Gulf shores long ago - approximately in the third millennium B. C. Later (the first millennium B. C.), on the Sandy and Basargin Peninsulas and onlarger islands there lived the people of the so-called "yankovsky" culture. After them there remained numerous traces, heaps of shells and stone instruments polihed to the mirror-like coundition . In the 8th - 13th centuries the adjacent lands were included into the territories of the Tungus states - Bokhai Kingdom and Churcheng Empire, even though there is almost no chronicles nor artefacts left since those times.

After the Churcheng Empire surrendered to the onslaught of the Mogols, all Primorye lands became deserted for almost six hundred years. From time to time, here appeared Chinese outlaws, Japanese pirates or brave hunters for ginseng or deer-horns.

Travellers' tales became the basis for more or less accurate geographical maps. During the Crimean Wars (1854-1855), the joint British-French fleet chased the Russian frigate "Aurora" in these waters, and though the maneuvers turned unsuccessful the Gulf coast was mapped in detail. And after the military post Vladivostok was established here in 1860, the whole Muravyov-Amursky Peninsula and nearby lands started to become actively inhabited. It was only natural that from the very beginning Vladivostok played a leading part in the development of the whole territory. Eventually, the town turned into the first-rate seaport and commercial centre, there sprouted grand stone mansions and several echelons of fortifications. All around the town, on shores and islands there appeared various fishing and hunting villages, they started to mine for coal and even for golden ore. In the second half of this century several large fish-processing plants, shipyards, scientific stations, marine plantations were built. The present population of the city and suburbs is nearing one million.

В начале XX века Владивосток уже приобрел черты вполне современного европейского города. Помимо бесперебойно работавшего пароходного и железнодо-

рожного сообщения, существовала и быстрая связь: работал подводный телеграфный кабель, соединявший Владивосток с Нагасаки, и телеграфная линия через Харбин в Россию; искровые станции "Маркони" и "Телефункен" позволяли говорить с Читой и Циндао. Центр города старались застраивать долговечными каменными домами, а охраняли все это благополучие от незваных гостей мощные сухопутные форты и береговые батареи. И то и другое в основном сохранилось доныне.

In the early 20th century Vladivostok already had all features of a modern European city. Besides regular steamship and railroad transportation, there also existed faster communications: Vladivostok was linked with Nagasaki by the undersea telegraph cable, and there also was a telegraph line to Russia via Harbin; Marconi and Telefunken telephone stations allowed to speak with Chita and Zindao. The downtown area was intentionally formed by long-standing stone mansions, and all this was guarded by powerful land fortresses and artillery batteries. All this can be seen even nowadays.

Владивостокъ.   Уголъ Свѣтланской и Миссіонерской

По этим снимкам, дошедшим до нас от рубежа XIX-XX веков, можно судить о том, чем являлся город в те времена: это был богатый торговец, одетый в новенькую кольчугу из железобетонных фортов.

These pictures dated by the turn of the century show us how the city looked in those times: a rich merchant dressed in a coat of concrete forts.

ВЛА

ВОСТОКЪ въ недалекомъ будщемъ.

СОПКИ НАД ГОРОДОМ

HILLS OVER THE CITY

СВЕРЯЙТЕ ЧАСЫ
ПО ТИГРОВОЙ ГОРЕ

CHECK YOUR TIME
BY THE TIGER MOUNTAIN

Тем, кто желает взглянуть на центральную часть Владивостока с высоты, не обязательно садиться в вертолет. Отличный вид на исторический центр открывается с Тигровой горы, расположенной у основания полуострова Шкота. Свое название она получила от англичан с парохода "Барракуда", проводивших в 1855 году съемку здешних берегов. Ныне с горы хорошо просматриваются улицы Светланская (Ленинская). Алеутская (25-го Октября), Пекинская (Океанский проспект) и другие городские магистрали, застроенные еще на рубеже XIX-XX веков и в основном сохранившие свой первозданный облик. Этот район всегда считался деловым центром города, и сейчас тут находится основная масса культурных и торговых заведений, многочисленные офисы и государственные учреждения. Светланская улица не зря считается главной: она проходит вдоль северного берега бухты Золотой Рог, где находится сердце Владивостока - порт: торговый, промысловый, военный, пассажирский. Достоинства этой бухты как гавани люди оценили давно. При строительстве железнодорожного вокзала в 1891 году нашли древний бронзовый меч, а рядом

Those who wish to enjoy the view over the downtown area do not have to hire a helicopter. The marvellous view is to be had from the top of the Tiger (Tigrovaya) Mountain which is located near the base of the Shkot Peninsula. It was named by crewmembers of the British steamship "Barracuda" who mapped the neighbourhood in 1855. Contrary to the wide-spread tale, there was no attacks of any cannibalistic tigers on any Russian military guards. Now there is a good view from the very top on Svetlanskaya (Leninskaya), Aleutskaya (25th of October), Pekinskaya (Okeansky Avenue) and other city streets, formed in late 19th - early 20th centuries and still preserving their traditional appearance. This area was always considered the downtown, and today there is a lot of cultural and commercial sites, offices and places of interest. Svetlanskaya St. is the city's main street - it runs along the northern shore of the Golden Horn Bay where lies the innermost heart of Vladivostok, the seaport.
The value of this bay as a harbour was estimated long ago. In 1891, when constructing the railway station, the ancient bronze sword was found, and nearit - the ruins of the Middle Age fishermen's

27

на берегу - остатки маленького поселка средневековых рыбаков. Пришедшие сюда в середине XIX века европейцы обнаружили в бухте деревню китайцев-манз (отходников), промышлявших добычей трепангов.

Китайское название бухты и всего города звучит как Хай-шэнь-вэй - Трепанговая гавань.

Впоследствии по берегам бухты появились сначала деревянные, а затем каменные пристани, доки, краны, мастерские. В гавани Золотого Рога базировались Сибирская флотилия, Тихоокеанская эскадра, наконец Тихоокеанский флот.

Несколько красивых зданий на Светланской своим происхождением тоже обязаны военному флоту: бывший штаб Сибирской флотилии (в 1991 году передан под Архив Дальнего Востока) и несколько адмиральских особняков.

С течением времени Владивосток, основанный как чисто военное поселение, стал приобретать облик .коммерческого порта.

Поначалу воды окрестного моря бороздили несколько небольших шхун, но со временем судовладельцы стали на ноги и образовалась солидная компания морских перевозок - Добровольный флот. Его прямым наследником является нынешнее Дальневосточное морское пароходство, одно из крупнейших в стране.

С вершины Тигровой горы хорошо просматривается Адмиральская пристань - парадный причал и центральная набережная. Здесь обычно швартуются корабли, пришедшие с визитом вежливости из других стран, здесь же находится мемориал истории флота, а по праздникам корабли поднимают флаги расцвечивания.

На этом месте когда-то находилось русское первопоселение. Праздничными флагами для гарнизона поста и его первого начальника, прапорщика Н. В. Комарова, служили зеленые ветки деревьев.

Неплох обзор с горы и на север: почти на километр протянулись кварталы домов старинной постройки и самой разнообразной архитектуры. Когда-то этот район заселяли китайцы и корейцы, массами приходившие на русский Дальний Восток за заработком.

Их труд оплачивался дешево, работали они очень качественно и добросовестно, поэтому местные предприниматели охотно нанимали так называемых "инородцев" на извоз, стройки, каменотесные, земляные и многие другие работы.

На берегу близлежащей бухточки в начале века вырос лабиринт лавок, мелких ресторанчиков, ростовщических контор, опиекурилен, домов терпимости и прочего. Все это принадлежало китайцам и корейцам - они же строили здесь здания европейского образца.

Переплетение проходных дворов, подворотен, подвалов и крытых галерей не поддавалось никакому описанию, равно как и численность тамошних обитателей. Поэтому за кварталами у Семеновского ковша (Спортивная гавань) прочно закрепилось название Миллионка, не забытое и поныне.

По Тигровой горе горожане сверяют часы: ровно в полдень с ее вершины раздается пушечный выстрел. Традицию, существовавшую в старинных морских крепостях, возродили в 1970 году. А площадка для салютационного орудия появилась на мортирной Тигровой батарее еще в 1895 году.

village. In 19th century the first Europeans discovered here the small habitation of Chinese trepang fisherfolk, and the Mandarin name for the whole area still sounds as "Trepang Haven" .Later on, wooden and stone wharves, docks, workshops appeared along the coastline.

The Golden Horn Bay served as a naval base for the Siberian Flotilla at first, and then - for the Pacific Squadron and the Pacific Fleet.

Some beautiful down town buildings were also erected thanks to the Navy - the former Siberian Flotilla Headquarters for example (since 1991 it is the Far-Eastern Archives) or several admiral mansions.

Vladivostok, being founded as a military station, eventually turned into the commercial port. At first, just a few small schooners sailed here, but the shipowners started to gain confidence, and the large merchant company, "The Free-Will Fleet", was established.

The Admiral Wharf is nicely seen from the top of the Tiger Mountain. There the first Russian station was built, and now the place is the Navy Ceremonial Wharf with the Navy War Memorial. Coloured flags are raised there on different occasions - where green branches served as flags for the first Russian military personnel and its commander N. Komarov.

If you turn to the north, you will see the older part of the city - built by the Chinese and the Koreans who came in hordes to the Russian Far East to earn some money. They were excellent workers and their labour was inexpensive.

On the shores of the Semyonovsky Bay (Sports Harbour) where the first Vladivostok civilian Yakov Semyonov had had his own meadow, early this century the labyrinth of rickety constructions, dingy restaurants, small shops, opium taverns, brothels and so on, appeared. No-one knew what went on there, and no-one knew how many people actually lived in that Bowery. So the Russian name for the Chinatown was "Millionka", and it is used even now.

The citizens check their time by the Tiger Mountain: at noon the gun discharges from the top of it. This old fortress tradition was renewed in 1970, and the artillery first appeared there in 1895.

ВЗГЛЯД С КРЕСТОВОЙ ГОРЫ

THE VIEW FROM
THE CROSS MOUNTAIN

От Тигровой горы на юг простирается длинный и узкий полуостров Шкота, омываемый с запада Амурским заливом, а с востока - бухтой Золотой Рог. До сравнительно недавних времен он был заселен не очень густо. А сейчас полуостров - центр по перевалке грузов с железной дороги на суда и обратно: со стороны Золотого Рога весь берег превращен в один большой причал с тяжелой портальной техникой, а ложбину занимает железнодорожный узел. Наиболее примечательная точка полуострова - гора Крестовая (вернее, Крестопоклонная), венчающая мыс Эгершельд. С ее вершины на север отлично просматривается вдоль входной участок Золотого Рога, над которым нависает горный хребет имени Великого князя

Алексея Александровича; на восток хорошо виден мыс Голдобина с причалами рыбного порта; на западе - жилой район и корпуса Морской Академии имени адмирала Невельского. На юге возвышается гора над мысом Токаревского, дальше - морская гладь.

На вершине горы оборудована видовая площадка, у подножия же - сплошь причалы, лихтерная гавань, контейнерный терминал. О почтенном возрасте этого участка порта напоминают три круглые цистерны, построенные около века назад, - они предназначались для хранения кунжутного масла, весьма уважаемого в Китае и Корее.

С высоты Токаревской сопки в хорошую погоду видны Черные горы на западном берегу залива, а острова Русский и Попова проглядывают практически в любую погоду. Белая башенка-маяк с красной головой на самой оконечности длинной Токаревской косы обозначает западный вход в пролив Босфор Восточный. Выше, в ложбине между отрогов сопки, стоит главное здание маяка. Вершину сопки занимают дворики и погреба береговой батареи, построенные в 1898 году для защиты входа в пролив.

*Эти два снимка сдела-
ны примерно из одной и
той же точки с разни-
цей в 85 лет.*

*These two photos were
taken approximately
from the same point, one
85 years after the other.*

To the south of the Tiger Mountain there lies the Shkot Peninsula. Until quite recently it was rather sparsely populated, but nowadays this area is central to the railroad-to-vessels reloading. The whole peninsula is a mass of wharves and warehouses and a net of railway lines. The container terminal is also situated here. The highest spot on the Egersheld Cape is the Cross (Krestopoklonnaya) Mt.

Magnificent view opens up from the top on the entrance to the Golden Horn Bay, over which the Great Prince Alexey Alexandrovich Ridge looms; to the east there is the Goldobin Cape with the fisheries port wharves; to the west - the Admiral Nevelskoy Marine Academy campus. To the south you can see the high Tokarevsky Cape and open sea. Three ancient tanks constructed about a century ago for keeping the oil imported from Korea and China will remind you about the age of this human activity center.

In nice weather, from the top of the Tokarevsky Hill you will be able to see the Black Mountains over the western coast of the Amursky Gulf, and the Russian and Popov Islands are quite near as they are. The white tower of the lighthouse is at the furthermost end of it marking the western entrance to the Strait Bosphorus the Eastern. At the top of the hill there are the remnants of the artillery battery and military post constructed in 1898.

ОРЛИНОЕ ГНЕЗДО

THE EAGLES' NEST

Самая высокая точка населенной части города - гора Орлиное Гнездо. Вид, открывающийся с нее, вполне способен окупить трудности крутого подъема на вершину, к подножию телевышки. Радиус обзора отсюда - около 30 километров: от устья реки Суйфун (Раздольная) на севере до островков южнее о. Попова, и от о. Аскольд на востоке до мыса Гамова на юго-западе. Естественно, что основные районы города видны как на ладони.

Южный склон горы уступами сбегает к Золотому Рогу, к улицам Пушкинской и Светланской. Здесь пролегает линия единственного в России фуникулера, соединяющая две группы корпусов Дальневосточного политехнического института. В старом корпусе института, выходящем на ул. Пушкинскую, в начале века располагался Восточный Институт - весьма солидное и авторитетное заведение. О тех временах напоминают два мифических каменных льва ши-цзы, в свое время охранявших вход в гробницу одного из китайских императоров династии Мин. В 1901 году, во время похода в Китай, охваченный восстание ихэтуаней, генерал-губернатор Восточной Сибири Гродеков захватил этих львов и преподнес их в дар институту.

Рядом - Военно-исторический музей, замечательный коллекцией тяжелой артиллерии из Порт-Артура; через дорогу уже восьмой десяток лет стоят особняки богатых владивостокских купцов Бринера иСинкевича; ныне жилые квартиры в них перемежаются с офисами - у владивостокцев это место считается счастливым. Пушкинская улица, несмотря на вкрапленные в ее первоначальную застройку новые здания, являет собой неплохо сохранившийся кусочек старого Владивостока.

Примечательна улица с совершенно правильным названием Нагорная (Суханова), проходящая по юго-западному и южному склонам горы на значительной высоте. В здании бывшего Коммерческого училища ныне располагается администрация Дальневосточного университета, а с конца 30-х по 50-е годы здесь находилась внушающая ужас организация - краевое управление НКВД.

С северо-западного подножия Орлиного Гнезда раскинулся Покровский парк, разбитый на месте старинного кладбища. Поскольку хоронили там представителей разных народов и вероисповеданий, на сравнительно небольшом участке земли оказались православная Покровская церковь (разрушена в 1934 году, но фундамент сохранился и имеется проект реставрации), корейский храм "Большой колесницы" буддизма, чуть дальше к западу - японский синтоистский храм, там же дымила труба крематория. Сейчас этот участок застроен корпусами университета и оригинальными по планировке зданиями Дворца пионеров.

На самой вершине горы построек, если не считать сооружений телецентра, нет, и обзор с нее ничем не заслоняется. Однако, предупреждаем: в зимнее время гора открыта всем ветрам, а погода здесь с декабря по февраль весьма жесткая...

The highest point of the whole downtown area is the Eagles' Nest (Orlinoye Gnezdo) Mt. The overlook from the top fully compensates the hardships of climbing it: about 30 kilometres around, from Suyfun (Razdolnaya) River estuary in the north, to the southern islands around the Popov, and from Askold Is. in the east to the Gamov Cape in the south-west.

Когда-то город был в основном одноэтажным. Дома не закрывали друг друга и не помешали фотографу сделать этот кадр в начале века с северного склона Орлиного Гнезда.

It was a time when the city was mostly one-storeyed. Sky-scrapers did not block the view, and some photographer was able to take this picture in the beginning of the century from the top of the Eagles' Nest Mt.

The southern slope is turned to the Golden Horn and to the downtown streets, Svetlanskaya and Pushkinskaya. From top to bottom here runs the only tramcar in Russia, which links two parts of the Far-Eastern Polytechnic campus. Its older building on the Pushkinskaya St. is the former Eastern Institute that was indeed one of the most esteemed institutions on the turn of the century.

Its main entrance is guarded by two ancient Chinese stone lions captured by the Siberian Governor General Grodekov in 1901 and presented to the Institute.

Next to it there is the Museum of Military History, remarkable for its collection of the Port-Arthur heavy artillery.

Across the street there are the mansions of Vladivostok traders Briner and Sinkevich - this beautiful place preserving the aura of old Vladivostok is considered lucky by the locals.

Along the southern and south-western slopes at a considerable height there runs Nagornaya St. In the former Commercial Institute famous for its beautiful architecture the Far-Eastern University administration is now based.

On the north-west of the Eagles' Nest the Pokrovsky Park is spread on the site of the old city cemetery, remarkable by the fact that in a relatively small area the different religions coexisted peacefully: Russian Orthodox church (destroyed in 1934 but now is to be restored), Korean Mahayana Buddhist temple and Japanese Shinto shrine. Now a part of this area is occupied by the University campus and the Children's Palace.

The top of the Eagles' Nest Mt. is free from any construction, but please be warned: if you risk a climb to have a view in winter time, you may become prey to severe winds...

ЮЖНАЯ СТОРОНА

THE SOUTHERN SIDE

От основной части города бухта Золотой Рог отсекает достаточно обширный полуостров Чернавского, где находится район, называемый местными жителями Чуркин - по имени одного из мысов. Оба эти названия связаны с фамилиями морских офицеров с кораблей, проводивших в 1861-1863 годах гидрографическую съемку берегов. В последние десятилетия это место, ранее довольно малолюдное, быстро застраивается. Гора Бурачок, придающая полуострову весьма своеобразный облик благодаря своему "вулканическому" профилю, попала в окружение жилых домов, но вершина ее гордо возвышается над крышами, и оттуда можно обозревать северную часть гавани, жилые районы и даже бухты южного берега. Эти бухты, особенно Диомид и Улисс, достаточно глубоки, закрыты от ветров и нагонной волны, и поэтому в них уже давно разместились филиалы гавани. Две другие бухты (Патрокл и Соболь) открыты южным ветрам и менее удобны. Часть полуострова Чернавского, прилегающая к Золотому Рогу, довольно плотно заселена и живет в напряженном режиме: весь берег бухты занимает рыбный порт. Сюда приходят сдавать улов громадные плавбазы; а для

The Golden Horn Bay separates from the downtown area the rather extensive Chernavsky Peninsula where the large district is situated, named Churkin by the locals. Both names originate from the time when in 1861 - 1863 the Russian Hydrographic Service mapped the area, and those were the surnames of the officers. The peninsula is rather peculiar-looking due to the volcanic silhouette of the Burachok Mt. which is surrounded by the residential area. Its top nevertheless proudly stands in the midst of it, from which the beautiful view over the northern harbour and even the southern coast bays is opened. Those bays, the Diomedes and the Ulysses especially, are deep enough, closed against winds and tidal waves. The Golden Horn coast of the peninsula is very businesslike - it is occupied by the fisheries is very businesslike - it is occupied by the fisheries port. To remind the visitors where it all started, on the top there is erected the monument - a small 1930's trawler.

But the highest mountain here is the Monastery Mt. The air of serenity is spilled around it, as the oldest city cemetery, the Marine Cemeters, is situated on its slopes. It is called so, because

того, чтобы не забывалось, откуда все пошло, на сопке установлен в виде памятника крохотный сейнер тридцатых годов.

Куда спокойнее окрестности другой горы, самой высокой на полуострове Чернавского - Монастырской. Ее окружает старейшее из ныне действующих городских кладбищ. Свое название - Морское - оно получило от участка, где хоронили офицеров и нижних чинов Сибирской флотилии, поскольку первоначально кладбище было военным. Ныне здесь имеется мемориальный участок, где похоронены люди, внесшие наибольший вклад в развитие города или оставившие значительный след в его истории: контр-адмирал
Е. С. Бурачок, в бытность свою лейтенантом возглавлявший только что основанный Владивосток; шкипер Ф. К. Гек - известный судовладелец, сочетавший коммерцию с работами по картографированию берегов Дальнего Востока; В. К. Арсеньев - известный писатель, путешественник и исследователь здешних истории и географии; другие не менее видные деятели культуры, истории и политики. Здесь же в братских могилах покоятся матросы с крейсера "Варяг", погибшие в 1904 году, канадские солдаты экспедиционного корпуса и чешские легионеры, павшие в 1918-1920 годах, японские военнопленные второй мировой войны, экипажи торговых судов и военных кораблей, погибшие при крушениях.

Хорошо видимая с Монастырской горы бухта Улисс и отгораживающий ее от моря Петропавловский полуостров с 80-х годов XIX века отчуждены Морским министерством царской России и с тех пор находятся во владении наследников этого славного ведомства. Жилой застройки как таковой здесь практически нет,

belonged to the Navy Department and still retains the Memorial Section where Vladivostok prominent people are buried: the first military head of administration Rear Admiral Ye. Burachok; skipper Ph. Geck, well-known shipowner, trader and cartographer; V. Arsenyev, famous author and traveller. Also, here the graves of the Russian sailors from the "Varyag" cruiser who died in 1904, Canadian and Czech Foreign Legion soldiers died in 1918 - 1920, Japanese prisoners of the World War II, crewmembers of the shipwrecked vessels, are located.

From the top of the Monastery Mt. the Ulysses Bay is clearly seen. This area, together with the Petropavlovsky Peninsula, in late 19th century was alienated by the Navy Dept. and still is inherited by its glorious descendants. In summer its small but picturesque forest is much liked by the civilians, as well as the rock beaches, and in winter the ice-fishermen are dotting the aquatories of the nearby bays. The top of the Petropavlovsky Peninsula, named after one of the local military engineers, is crowned by very old artillery batteries, formerly guarding the Skryplyov Roadsted and the eastern entrance to the Strait Bosphorus the Eastern. Now it is only grass and old concrete here, lizards are warming in the sun, and through the moss an ancient bas-relief can be discerned - "1898"...

All adjacent bays' names derived from the Trojan War heroes - Diomedes, Ulysses, Patrocles, Paris, Ayax - but actually, those were the names of the Russian Hydrographic Service vessels mapping the area in 1862 under the guidance of Colonel V. Babkin.

The Patrocles Bay is open to the winds and fresh tidal waves and is much loved by summer vacationers. The silhouette of the Basargin Peninsula separating it from the sea, reminds one

с севера к береговой полосе подступает небольшой, но очень живописный лес. Он выходит и к берегам бухты Патрокл, летом привлекая отдыхающих и грибников. Зимой интересы горожан смещаются чуть южнее: в лесу пусто, зато на льду Улисса видимо-невидимо любителей подледной рыбалки. На сверкающие блесны охотно идет корюшка и зимняя навага - одна из самых вкусных морских рыб. На Петропавловском полуострове, получившем такое название в честь одного из военных инженеров - строителей Владивостокского порта, тоже растет невеликий лес, подступающий с севера к старинным береговым батареям. Их орудия некогда держали под прицелом Скрыплевский рейд и восточный вход в пролив. Теперь в пустых орудийных гнездах растет трава, на обломках порохового погреба греются в солнечных лучах ящерицы, шершавая бетонная стена обросла медноцветными лишайниками, наползающими на барельеф "1898 г."... Бухта Патрокл открыта южному ветру, и летом здесь приятно искупаться в волнах прибоя. Название этой и других близлежащих бухт - Диомид, Улисс, Аякс, Парис - унаследованы от парусных бригов Черного моря, носивших имена героев Троянской войны и исключенных из списков флота в 1862 году, когда экспедицией подполковника Корпуса флотских штурманов В. М. Бабкина проводилась съемка берегов этих бухт. Полуостров Басаргина, отграничивающий бухту Патрокл от моря с востока, весьма живописен и в профиль напоминает громадного кашалота, выставившего спину на солнце. На кашалотовом носу водружено оригинальное украшение - белая башня маяка; спина покрыта щетиной деревьев, а у вылезшего на сушу хвоста 2000-2500 лет назад находилось поселение людей "янковской" культуры - отважных мореходов и безжалостных воинов, наводивших ужас на жителей Борющихся царств Китая своими отравленными стрелами. Встречаться с ними в море было опаснее, чем с кашалотом или стаей акул.

Если пройти от полуострова Басаргина на север над скалистым берегом бухты Соболь, можно выйти к восточной оконечности городской жилой зоны - бухте Тихой. В плотно застроенном массиве находятся два крупных предприятия: фарфоровый завод и теплоэлектростанция. Район Тихой бухты сравнительно молод и из исторических достопримечательностей здесь имеется только группа береговых батарей начала века и руины форта Линевича, названного в честь русского генерала, отличившегося при походе на Китай в 1900-1901 годах.

The people who contributed a lot to the city's history are remembered by the streets' names, by the monuments in the Marine Cemetery and by their own deeds. The Basargin lighthouse for a century has been showing the way home to small trawlers returning with catch. It is by their labour that Vladivostok has become the largest fishing centre on the Russian Far East.

of the giant hunchback wholes. At the tip of its nose there is a beautiful decoration - the white lighthouse tower, its back is covered with woods, and near its tail where it touches the mainland, 2000 - 2500 years ago there existed an ancient village of the so-called "yankovsky" people who were brave sailors and merciless warriors. They terrified the "Fighting China" kingdoms with their fast ships and poisoned arrows.

If you go further along the rocky path over the Sabre (Sobol) Bay, you may enter the farthest city district - the Quiet (Tikhaya) Bay. Two large enterprises are located here - the Vladivostok China Plant and the power station. On the turn of the century this place was guarded by the Linevich fortress, named after the Russian general, one of the heroes of the Chinese Campaign of 1900 - 1901.

ЧЕГО НЕ ВИДЕЛ
КОМЕНДАНТ КРЕПОСТИ

WHAT THE FORTRESS
COMMANDER COULD NOT SEE

Владивосток - гористый город, и со временем ему пришлось буквально карабкаться по склонам сопок. Один из недавно застроенных районов так и поступил: начавшись недалеко от восточной оконечности Золотого Рога, он постепенно поднимался все выше и выше, пока не выплеснулся за перевал.

Пейзаж в этом районе украшают несколько конических сопок, из которых две весьма удобны, чтобы осматривать с них окрестности. Это горы Большая и Малая Комендантские, получившие такое название благодаря тому, что в начале века комендант Владивостокской крепости генерал-майор

В. А. Ирман тоже оценил их достоинства и избрал эти вершины для своего командного пункта на случай военных действий. К счастью, для этого они не пригодились, но названия остались. Что мог увидеть оттуда бравый генерал?

На юге - почти то же самое, что и сейчас: Морской госпиталь, Золотой Рог и мастерские на его берегах. В наши дни к этому добавился громадный жилой массив, тяготеющий к Луговой площади.

Вид на северо-восток, вдоль полуострова, в общем, тоже мало изменился: тот же лес и силуэты пригородных гор, но склон долины на переднем плане сейчас плотно застроен. На западе высится центр города.

Лощина между Комендантскими горами ныне окаймлена зданиями, но понизу как были, так и остались строения и массивные бетонные хранилища Минно-артиллерийского городка Морского ведомства. Во времена существования Владивостокской крепости они были заполнены снарядами, морскими минами и прочим. Два озерца, лежащие каскадом одно над другим по протекающей речке, создавались как водяные-резервуары на случай пожара.

Vladivostok is the mountainous city and, eventually growing, it had to climb higher and higher. One of the districts starting from the Lugovaya Sguare in the eastern corner of the Golden Horn Bay spilled over the ridge.

Two of the mountains here are very convenient for the overall viewing - the Greater and the Smaller Commandant: in the early 20th century the Vladivostok Fortress commandant General V. Irman chose them for his headquarters in case of any military emergency. Fortunately, the need never arose, but the name stuck. The view from them is beautiful even now. In the valley between them the Mineyard Park is situated: formerly a part of the Vladivostok Fortress, it now serves as a recreation with kids laughing and playing around old concrete mortar shells depots. Two small but beautiful lakes were artificially dug here for the fire emergencies around those times.

To the north of the Commandant Mountains there lies the deep valley crossing almost the whole of the Muravyov- Amursky Peninsula. The river called by the locals theFirst (Pervaya) runs there, with the large railroad terminal built on its banks. All of the riverbed can be overlooked from the top of the Camp (Lagernaya) Hill, named thus because of the Eastern Siberian 8th Battalion camp built at its base. The upper part of the valley is lost in the woods to the east, and in the estuary to the west there is the large oil refinery formerly belonging to Nobel. In April 1945, the Japanese fighter plane tried to attack it but was destroyed by anti-aircraft fire from one of the anchored tankers. Even though this episode clearly is not the Stalingrad defence in itself, it is still remembered. To the north there is the small artificial lake serving as a good winter and summer recreation, and further on - the Marine Town districts and the beautiful Vladivostok Centennial Avenue.

Большинство военных построек той поры сохранилось, но используются они мирно: ныне всю ложбину, заросшую деревьями, занимает один из городских парков.

В бывших пороховых погребах крутят кино, с грохотом перекатываются под бетонными сводами шары - нет, не морских мин, а всего лишь кегельбана.

К северу от Комендантских гор проходит глубокая долина, прорезающая с востока на запад почти весь полуостров. В ней лежит русло реки, которую владивостокцы называют Первой.

В самом деле, от центра города это речка действительно первая. Низовья ее застроены, верховья теряются в лесу, а в среднем течении находится громадная сортировочная железнодорожная станция, также называемая "Первой речкой".

Долина, особенно нижняя ее половина, хорошо просматривается с вершины скалистой Лагерной горки недалеко от берега Амурского залива. Когда-то под ней находился лагерь 8-го Восточно-Сибирского линейного батальона - отсюда и название.

С высоты горки на восток далеко видна долина, пропадающая где-то среди сопок; на западе плещутся волны Амурского залива; на юге - сравнительно новые жилые кварталы, выросшие на месте старинной корейской слободки; с северной стороны за паутиной рельсовых путей простираются районы Морского городка и проспекта 100-летия Владивостока, разросшиеся в течение 60-х годов.

Чуть ближе виднеется искусственное озеро Чан, возникшее после отсыпки железнодорожной насыпи, а в самом устье реки на добрый квадратный километр раскинулись бывшие керосиновые склады Нобеля, а ныне - нефтебаза.

В апреле 1945 года сюда залетел японский истребитель и начал строчить по емкостям с бензином, но стоявший у пирса танкер ответил очередью из "эрликона" - и самолет рухнул в море. Этот эпизод, конечно, - не оборона Сталинграда, но жителям Владивостока он запомнился надолго. Японскому пилоту, выловленному в заливе целым и невредимым, - по-видимому, тоже.

ВОДОРАЗДЕЛ

THE WATERSHED

Река, протекающая параллельно Первой речке к северу от нее, по логике вещей была наименована Второй.

Между реками с запада на восток протянулся горный хребет, в котором выделяется гора графа Муравьева-Амурского, или Холодильник.

Второе название - более позднее и своим происхождение обязано замечательному сооружению, расположенному у южной подошвы горы - центральному рефрижератору Владивостокской крепости на 100 тысяч пудов мяса, запущенному в эксплуатацию в 1914 году, о чем свидетельствует мраморная мемориальная доска тех времен, укрепленная на фасаде.

С вершины горы открывается отличный вид на все стороны света: на юге видны жилые районы долины Первой речки и промышленная зона в низине; на восток - Морской городок, кварталы проспекта 100-летия Владивостока, дальше - Амурский залив и зубчатая линия Черных гор. К северу уходят жилые микрорайоны долины Второй речки, упирающиеся в лес; тот же лес, покрывающий зеленой бахромой гряду Южно-Седанкинских высот, простирается на все во-

семь румбов от севера к востоку. А вершину Холодильника занимает одна из местных достопримечательностей - форт графа Муравьева-Амурского, построенный в период между японо-китайской и русско-японской войнами (1895-1904 гг.).

Этот форт в свое время являлся ключевой позицией оборонительной линии, чрезвычайно напоминающей укрепления знаменитого Порт-Артура.

За тридцать последних лет население города выросло почти в два раза, и город начал застраиваться темпами, подобными взрыву.

За каких-то восемь лет городская застройка покрыла ровный участок берега Амурского залива от низовьев Первой речки до северного борта долины Второй речки.

Долиной Второй речки город, по сути, кончается. Далее к северу до смыкания полуострова с материком простирается обширная зона с вкрапленными кое-где дачными участками, домами отдыха и тому подобным. Эта зона вполне заслуживает того, чтобы рассмотреть ее отдельно.

Parallel to the First River to the north of it there runs the logically named Second (Vtoraya) River. Between them there is the small ridge with the highest point named after Count Muravyov-Amursky. The second name of this mountain is the Refrigerator (Kholodilnik) - as the powerful fortress refrigerators put into action in 1914 occupy the base of it. The top of it was one of the key positions in the defence plans of the old Vladivostok Fortress and is crowned by the Muravyov-Amursky fort built between two wars - China-Japanese and Russian-Japanese (1895 - 1904).

In the last thirty years the city population doubled, so all around there are large residential; areas. The Second River valley in fact is the northern city limit, and further on, to the point of merging with the mainland, the Muravyov-Amursky Peninsula is covered with woods. This section is so beautiful in itselfthat it deserves special description.

Здание торгового дома Кунста и Альберса, одно из красивейших в городе, всегда привлекало к себе внимание художников.

The Kunst & Albers trading house headquarters, one of the most beautiful downtown buildings, has always drew attention of the artists.

В 1880 году на улице Светланской открылся магазин торговой компании "Кунст и Альберс", весьма известной на берегах Тихого океана и в других краях цивилизованного мира.

Его здание, принявшее свой окончательный вид в 1905 году, до сих пор украшает центр города, почти не изменившись: облицовочный кирпич, привезенный специально для него пароходом из Гамбурга, стойко перенес все превратности влажного владивостокского климата. И до сих пор здесь работает крупнейший в городе универсальный магазин.

In 1880 at the Svetlanskaya St. the stores of the Kunst & Albers trading company opened, renown on the Pacific shores as well as in the whole civilized world.

The building took its modern shape by 1905, and has not changed much since that rime.

The decoration bricks specially imported from Hamburg withstood the damp local weather marvellously, and the city's largest department store still operates

Любой город - это живой организм, и ему свойственно изменяться. Улицы, стекающиеся к центру Владивостока, конечно уже не те, какими были в самом начале, но сохранились здесь и уголки, почти не тронутые временем. Собственно центром города ныне считается обширная площадь у самого берега моря, где сходятся две главных улицы - Светланская (Ленинская) и Китайская (Океанский проспект) и стоит группа памятников борцам за власть Советов на Дальнем Востоке, от которых пошло название всей площади. Этот центр сформировался не сразу, раньше здесь была пологая котловина, где постоянно шумел базар. Его давно нет и даже старики с трудом вспоминают те времена, но дух деловитости остался.

City is a living organism and it is only natural for it to change with time. The streets gathering in the Vladivostok downtown are now not as they used to be, but even here there are nooks and corners almost not touched by time. The centre of the city is the wide square at the very shore, where two main streets intersect: Svetlanskaya (Leninskaya) and Chinese (Ocean Ave.). Here the monument to the Far-Eastern Soviet Regime Fighters is standing. Long ago at this spot there was a marketplace - even the oldtimers sometimes can not remember it, but the atmosphere of business-like activity lingers on.

На центральной площади, за которой прочно укрепилась репутация местного Гайд-парка, время от времени можно послушать не только ораторов. Ребята-музыканты играют здесь не ради денег, а для души. Что касается шляпы на переднем плане, то это не более чем дань традиции.

The Central Square is a kind of local Hyde Park, but sometimes here you can listen to good street musicians. They do not play for money - the hat in front is just an old tradition.

В центре города - обычный будничный день...
... но несмотря на это здесь всегда многолюдно. Так было всегда.

It is a usual day downtown...
...but it is overcrowded. It has always been like that in Vladivostok.

Переулок между Светланской и Пекинской круглый год в цветах.

The alley between Svetlanskaya and Peking

Боевые корабли ино-
странных флотов,
приходящие во Влади-
восток с официальны-
ми визитами, обычно
швартуются у ста-
ринной Адмиральской
пристани.

The foreign battle ships
visiting Vladivostok
officially are moored as a
rule at the old Admiral
Wharf.

Отсюда, с набережной
у штаба Тихоокеан-
ского флота, обычно
начинаются маршру-
ты гостей по городу.

All city tours usually
start from this place near
the Pacific Fleet HQ.

Чтобы понять друг
друга, не обязательно
быть полиглотом.

To understand each
other it is not necessary
to be a polyglot.

Горожане тоже не
прочь наведаться в го-
сти к вновь прибыв-
шим.

The local people also do
not mind visiting their
guests.

- С самого начала во Владивосток можно было попасть только морем; в наши дни этот способ сообщения тоже пользуется большой популярностью.
- Со временем к пароходным линиям добавилась железная дорога и исправно работает уже целый век...
- ...а затем наступила очередь воздушного транспорта, тоже быстро ставшего привычным.
- Сюда, к основанию полуострова Шкота, сходятся все дороги из внешнего мира.

From the very beginning it was possible to come to Vladivostok only by sea; now this mode of transportation is also immensely popular.

As the time went by, there appeared the railroad - now it has been in operation for a century. And after that it was the turn of the aircraft which soon became regular. Here, at the Shkot Peninsula, all the roads from outside world meet.

Официальная граница "Миллионки": перекресток улиц Пекинской и Китайской, каким он был в начале века.

The Chinatown official limits: the corner of Peking and Chinese as it was at the turn of the century.

Эту фигуру сделали в подарок городу китайские садовники. Вполне вероятно, что на этом самом месте когда-то жили их родственники.

This topiary sculpture was presented to the city by Chinese gardeners. It is highly probable that at this very place some of their ancestors lived.

Часть "Миллионки" примыкающая к морю, в ее нынешнем виде.

The Chinatown waterfront as it is now.

Многие уголки в этом
районе еще сохранили
свой первоначальный
облик и колорит.

*A lot of places in that
district still preserve
their original atmos-
phere.*

Китайский магазин на
Светланской легко уз-
нать по фонарикам,
словно явившимся с
праздника Фэньюань-
сяо.

*The Chinese shop on
Svetlanskaya is easily
spotted thanks to the red
lampions, as if straight
from Chinese festival.*

Ресторан "Моранбон"
на Первой Морской
улице - сам себе визит-
ная карточка.

*The Moranbon
restaurant on the First
Marine (Pervaya
Morskaya) St. speaks for
itself.*

Бухта Федорова и Тигровая гора, к югу от которой "Миллионка" кончается и начинается полуостров Шкота.

The Fyodorov Bay and the Tiger Mt. - to the south of it the Chinatown ends and the Shkot Peninsula begins.

Эти дома помнят ви-
зит во Владивосток
будущего российского
императора Николая
II.

*Those houses still
remember the visit of
Nicolas the Second, the
Russian Emperor-to-be.*

Гимназия на улице
Суйфунской (Уборевич-
ча) больше восьмиде-
сяти лет работает по
прямому назначению.

*The kids have been going
to this school on the
Suyfun (Uborevich) St.
for more than 80 years
now.*

60

Перекресток Свет-
ланской и Алеутской,
каким он был в начале
века. В тех пор это ме-
сто изменилось, но не
намного.

The intersection of
Svetlanskaya and
Aleutskaya as it was
early this century. This
place has certainly
changed but not much.

Здание бывшего Мор-
ского штаба на Свет-
ланской за свою
историю сменило мно-
го хозяев, но всегда ос-
тавалось украшением
главной улицы.

The building of the
former Fleet HQ has
changed many masters
during its long history,
but it always remained
the trademark of the
main street.

Что за праздник без военного оркестра, тем более если город не просто город, а еще и морская крепость.

There is no celebration without a military band - especially when it is not a common city but an old fortress.

Участию Тихоокеанского флота во второй мировой войне посвящен этот мемориал на Корабельной набережной.

This is the Second World War Pacific Fleet Memorial on the Admiral Wharf.

Так выглядела люте-
ранская кирха на
Светланской улице в
начале века.

This is the Lutheran
church in the beginning
of the century.

Так она выглядит сей-
час; деревья успели из-
рядно подрасти.

Now the trees are
somewhat higher.

Порт-артурские пуш-
ки молчат почти девя-
носто лет.

The guns of Port-Arthur
are silent for almost
ninety years.

Так выглядели город-
ские улицы в первой по-
ловине века, но
подобные уголки мож-
но встретить и сейчас
в самых неожиданных
местах.

This is how the city
streets looked in the first
half of the century, but
places like this can be
found even now, quite
unexpectedly.

В старых районах го-
родские пейзажи сами
просятся на холст.

In older districts the city-
scapes only wait for their
artists.

*Такой увидел художник
Пушкинскую улицу...
...которая начинается
у этого сквера, рядом
со зданием Художест-
венного училища.*

*This is how the artist saw
the Pushkin Street...
...that starts from this
small park near the Arts
College.*

Церковь-школа Скорбящей Божьей Матери памяти убиенных русских воинов в 1904-1905 годах была в свое время построена на пожертвования от жителей города и среди храмов Владивостока занимала достаточно скромное место. Ныне это центральная православная церковь города и наиболее влиятельный храм, получивший новое название Свято-Никольского.

Действительно, ведь Св. Николай всегда считался покровителем моряков, чье же еще имя носить главному храму морского города? Несмотря на разнообразие городского населения, большинство местных жителей имеет православные традиции, доставшиеся от предков. Эти традиции с недавнего времени переживают бурный подъем. -

The church and school of Our Lady Grieving in memoriam Russian warriors slayed in 1904-1905 was built on donations of the citizens and did not claim much attention among all Vladivostok churches of old. Now it is the main Russian Orthodox church in city bearing the name of St. Nicolas.

That saint was always worshipped as the patron of seamen - so it is only natural to have his church in the sea port. In spite of the variability of population, the majority has the inherited Russian Orthodox traditions, experiencing now a strong surge of revival.

В гостях у "Литературного кафе" Приморского общества книголюбов поэты, музыканты, исполнители.

Poets, musicians and performers are hosted by the Primorye Book Club Literary Cafe.

Первый музыкально-драматический кружок во Владивостоке проявился еще в начале 80-х годов XIX века, скрашивая своими концертами весьма однообразное бытие местных жителей.

До того сюда заезжали разве что бродячие труппы китайских актеров, чьи представления для европейского человека были абсолютно непонятны.

По мере роста города возрастали и культурные запросы его обитателей: появились театры, концертные залы, учебные заведения и библиотеки, а люди, просто желавшие расслабиться, могли зайти в кафе-шантан, которых в легкомысленном портовом городе было тоже достаточно.

В дальнейший период истории акцент делался на более серьезные виды искусства, но сейчас любой желающий всегда может послушать концерт или посетить представление сообразно своему возрасту, вкусу и настроениям.

The first music and drama studio appeared in Vladivostok in the early 1880s, and its concerts were about the only entertainment available to the local citizenry.

Before that, Vladivostok was only occasionally visited by vagrant Chinese actors, whose performances were totally undecipherable for the Europeans.

As the city grew, the cultural needs of the people went deeper: here appeared theatres, concert halls, educational institutions and public libraries, and those who wished to relax could visit a cabaret, abundant in the easy swinging sea port.

In the further period of history more academic kinds of art were insistently developed, but now everyone can see and hear anything he or she wishes, according to age and tastes.

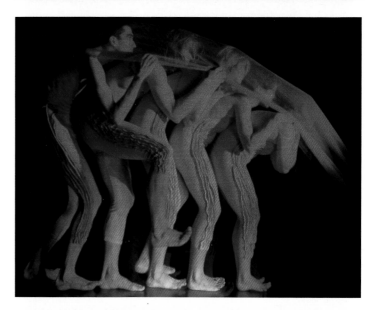

Коллекция морских раковин из частных собраний горожан, которую показывают в краевом музее, неплохо отражает специфику занятий местных жителей.

The seashells collection exhibited in the local museum highlights some of the peculiar hobbies if the people here.

Теплой порой к началу улицы Светланской стекаются вольные художники, которые выставляют свои работы для
всеобщего обозрения, а если попросить,
то могут изобразить что-нибудь на заказ.
В отличие от Монмартра, мелом на ас-
фальте не рисуют, чтобы не мешать про-
хожим. Можно здесь и других
посмотреть, и себя показать, если, конечно, не помешает летний дождь.

When it gets warmer free artists gather at
the upper Svetlanskaya St., turning it into
an open-air gallery and art salon, and if
asked they may improvise your portrait.
The place is popular even though clearly it
is not quite a Monmartre, and even light
summer rains can not interrupt the process
of creation.

Новый корпус Института биологии моря на Красном мысу постарались воздвигнуть поближе к объектам исследований.

The new building of the Marine Biology Institute was erected on the Red (Krasny) Cape, quite near its sphere of research.

Так выглядит со стороны моря жилой район Второй Речки и мыс Фирсова.

Vladivostok skyline: the Second River residential area and the Firsov Cape.

Вращающиеся часы на перекрестке улицы Русской и проспекта 100-летия Владивостока. Диспетчерская башенка над зданием напоминает о временах, когда долиной владели бравые авиаторы.

The rotating clock at the corner of Russian Street and Vladivostok Centennial Avenue. This building reminds of the time when all this area was an airfield.

С автовокзала в конце улицы Русской можно попасть в любую точку края.

From the bus station on lower Russian St. you can travel to all parts of the Primorye Territory.

Искусственный ковш, защищенный от ветра - лучшее место базирования для яхтового флота.

The artificial harbour protected from winds is the best place for not so small yacht flotilla.

Несмотря на это, морские драконы любят время от времени подшутить над самоуверенными шкиперами.

In spite of that, sea dragons sometimes like to play jokes on overconfident skippers.

Спортивная Гавань издавна считается неофициальным "лицом" города; как-то повелось само собой, что люди, приезжающие во Владивосток в теплое время года, идут сначала сюда, и только потом в гостиницу. Действительно, где еще можно освежиться после долгой дороги? А тем, кто не умеет плавать, достаточно взглянуть на паруса отходящих от пирса яхт, чтобы зов морской стихии навсегда запали в душу.

The Sports Harbour is long considered an 'unofficial trademark' of Vladivostok: the summertime visitors usually first come here and only after - to the hotel. Indeed, this is the best place to refreshen oneself after a long road. And for those who has not learned to swim it is enough to look at the sails of departing yacht - and the romance of sea will always remain in their hearts.

Одно из достоинств Амурского залива в летнее время объясняется его формой и географическим положением: с одной стороны его закрывают от ветра Черные горы, с другой - сопки полуострова, с третьей - массив континента. Поэтому высокие волны сюда не заходят и летом можно без помех совершенствоваться в шлюпочном мастерстве - одном из древнейших искусств человечества.

One of the excellent summer qualities of the Amursky Gulf is its geographical position: on one side it is protected by the Black (Chyornye) Mountains, on the other one - by the peninsula and the continent. So the high waves do not enter the aquatory, and one can at leisure practice boating - one of the most ancient human arts.

Море любит умелых без различия возрастов.

Sea loves able men without paying attention to their age.

Гонки гребных судов были популярны, наверное, еще во времена Атлантиды, их правила с тех пор не изменились.

The boat races seemed popular even in the times of Atlantis, and their rules have not changed since.

Одиночное плавание тоже имеет массу достоинств.

You can do it alone as well.

Изменчивость стихии воды влекла людей давным-давно. Наверно, сотни тысяч лет привлекает нас бесконечная игра солнечных лучей на гребнях волн. Лучший отдых для усталой души - отразить суету повседневности от сверкающей солнечной дорожки. Может быть, именно поэтому многие горожане приходят к концу дня погулять на берег моря и отдохнуть при свете закатного солнца.

The constant changing of the water element, the intermittent play if sunrays on the waves' crests has been drawing people's attention for a very long time. The best relaxation for a tired soul is to reflect the day's troubles from the sea surface in the sun. Maybe that is the reason why so many people come to the shore at the end of the day.

Яхты у пирса Семе-
новского ковша; для
одних это спорт, для
других - образ жизни,
для третьих - просто
красивое зрелище.

The yachts at the
Semyonovsky Bay wharf.
For some people
yachting is s sport, for
others - a way of life, and
for a lot more - just a
beautiful sight.

Несмотря на близость воды, летом от жары укрыться непросто.

In spite of the nearby water, it is difficult to hide from summer heat.

Однако истинных спортсменов капризы погоды мало беспокоят.

But the true sportsmen are uninhibited by sudden weather changes.

Иногда городская стихия просто воплощает мыслеформы своих обитателей.

Sometimes the urban element seems to be just a realization of its dwellers' thought.

Море всегда готово
дать убежище от жа-
ры, сколько бы не было
желающих.

*The kind sea is always
ready to give shelter from
the merciless heat to all
wishing, many as they
are.*

Улица Набережная проходит широкой дугой от Спортивной Гавани до городского вокзала, огибая на большой высоте Тигровую сопку. Одной стороной она обращена к морю, с другой вздымается склон горы. Когда-то он был застроен невероятным нагромождением мелких деревянных домиков. Постепенно они уступили место более современным домам, но кое-что, с самого начала строившееся на века, сохранилось.

The Waterfront (Naberezhnaya) st. runs in a wide arc around the Tiger Mt. from the Sports Harbour to the railway station. The slope was formerly covered with a labyrinth of wooden shacks and houses of all possible periods of time. Some of them, built permanently, can be seen even now, but for the most part they were changed by modern constructions.

В этом старинном купеческом особняке с некоторых пор обосновалось городское экскурсионное бюро.

This ancient merchant's manor is now the city's tourist bureau.

На склоне Тигровой горы, обращенном к мысу Бурному, есть дома всех эпох.

The Tiger Mt. slope turned to the Stormy (Burny) Cape is one of the most picturesque examples if the V l a d i v o s t o k architectural variety.

ТАЙГА У ПОРОГА

TAIGA AT
THE THRESHOLD

Осенью, когда листья деревьев начинают желтеть и краснеть, природа настраивает на философский лад. Приятно пройтись по лесным дорогам, ощутить себя частью Великого Макрокосмоса, а суета и заботы пусть остаются на шумных городских улицах.

In autumn, when the foliage starts to turn red and yellow, nature makes you philosophical. It is good to walk forest roads, to feel oneself a part of the Great Macrocosm, and let all worries be left on noisy city streets.

ТАЙГА У ПОРОГА

TAIGA AT THE THRESHOLD

Пригородная лесная зона Владивостока - совсем не такой лес, который привычен европейцу. Это не привольная среднерусская дубрава и не рощи доброй старой Англии, воспетые менестрелями. Леса Приморья дозволяют путникам передвигаться только по заранее проложенным тропам. Свернувший с них рискует разорвать одежду о сучья и шипы, запутаться в подлеске и лианах. Впрочем, походы в лес - одно из любимых развлечений горожан, и трудности их не пугают. Дорог и тропинок тоже достаточно.

Проходимость лесной зоны затрудняется тем, что вся она состоит из горных складок, прорезанных глубокими долинами. Во многих местах деревья подступают прямо к морю или нависают над крутыми обрывами. Там, где лес и море дают возможность (главным образом, со стороны Амурского залива), в тени деревьев построены дома отдыха, санатории, детские летние лагеря. Большую площадь занимает Ботанический сад Дальневосточного отделения Российской Академии наук, где собрана богатая коллекция растений, - место во всех отношения прекрасное.

Собственно лесная зона занимает весь север полуострова Муравьева-Амурского и минимум в

Vladivostok suburb woods are in no sense the European-type forests. They allow the traveller to walk only by strictly laid paths. Those who stray from them may easily fall victim to various thorns and vines, bushes and branches. Anyhow, walking in woods is one of the favourite recreation sports of the local people.

It is rather difficult to move across the country because there is a lot of hills and ravines. Where the dense growth and steep hills allow, various resorts, youth camps and so on are built. A lot of territory is occupied by the Russian Academy of Science Botanical Gardens with rich and unique floral collections.

Right outside city limits there starts a succession of riverbeds' valleys and small wonderful ridges: the Second River is separated by the South Sedanka Ridge from two rivulets that form the Sedanka River named after an old Chinese who lived in late 19th century on its bank. The Big and Small Sedanka Rivers' basins are crossed by the Sedanka Ridge which is followed by the Black Sedanka Ridge dropping to the Black River. To the north of it there starts the wide Lyanchikhe River valley blocked by the Bogataya Griva ts. In this tangle of taiga the Big Vladivostok territory ends, and

93

два раза превосходит заселенную часть города. Речные долины здесь аккуратно чередуются с горами: за Второй речкой тянется Южно-Седанкинская гряда, севернее которой из двух истоков сливается река Седанка, получившая свое название в честь седого старика-китайца, жившего когда-то у ее устья. Бассейны Большой и Малой Седанок разделяет собственно Седанкинская гряда, затем следует невысокий Черно-Седанкинский хребет, отделяющий речку Черную; еще севернее лежит обширная долина реки Лянчихэ, отрезанная от бассейнов рек Черной и Шаморы, впадающих в Уссурийский залив, мощным хребтом Богатая Грива. На этом такое правильное чередование прекращается, и у основания полуострова реки и горы сплетаются в клубок; территория, подвластная Владивостоку, здесь кончается, и далее идут земли другого приморского города - Артема, на Владивосток совершенно не похожего.

Одна из легенд повествует, что когда-то уставший с дороги бог - сеятель жизни, присел отдохнуть где-то недалеко отсюда и не заметил, что из дырявого мешка просыпались без разбора животные и растения, для этих мест совсем не предназначенные. Так оно или нет - неизвестно, однако лесная флора полуострова весьма разнообразна: северные сосны растут вперемешку с субтропическими лианами, еловые шишки валяются в листве рядом с маньчжурскими орехами, а любимый сибиряками груздь мирно соседствует с китайским грибом бессмертия - линчжи. Вообще грибов много, летом и осенью есть из чего выбирать. Часто встречается в лесу знаменитый китайский лимонник и дикий виноград, реже - актинидия. Много боярышника, барбариса, диких яблочек, калины; на прогреваемых солнцем полянах растет земляника. Колючие стволы аралии и элеутерококка весьма неприятны на ощупь, но листья и корни их содержат непревзойденные тонизирующие вещества. Достаточно здесь и других лекарственных растений. Но помимо всего прочего в лесу просто-напросто красиво, а оттого - хорошо. Спасибо за это рассеянному богу с дырявым мешком.

Животный мир полуострова не столь разнообразен - сказывается близость города. Много белок - черных и рыжих, бурундуков, ежей, встречаются зайцы и лисы. Бывает, что из дебрей Уссурийской тайги забредают медведи и тигры, но такое, к счастью, случается не часто.

В лесу обитает несколько десятков видов птиц - как постоянно проживающих, так и перелетных. Нередко можно встретить змей, весьма разнообразных, а в подземных галереях старых фортов обитают уникальные виды слепых тритонов и лягушек. Горные речки населены мелкими рыбками. Среди них много потомков гордой породы лососей: после создания искусственных водохранилищ они оказались навсегда отрезанными от моря и трансформировались так, что теперь довольно мудрено догадаться об их происхождении.

Если с историей жилой части города более или менее ясно, то какой-либо связной хроники лесных его окрестностей еще никто не написал, поскольку выяснить ее не просто. О том, что эти места не были забыты людьми в давно прошедшие времена, свидетельствуют несколько древних курганов около речки Шуфан, впадающей в северную оконечность Амурского залива. Среди лесных дебрей иногда можно найти совершенно заросшие следы заимок и ферм китайцев-манз: то проявится среди буйного подлеска кладка стены, то ручеек отмоет в склоне берега осколки фарфоровых чашек с синими узорами. Ближе к городу, в долине Седанки, зарастают деревьями окопы и ямы блиндажей времен русско-японской войны.

Памятником более поздних времен являются два водохранилища на реках Седанка и Лянчихэ, из которых питается городской водопровод. А на вершинах Южно-Седанкинских высот, стеной отгородивших город с севера, белеет бетон крепостных фортов, построенных в 1910-1916 годах и прославивших Владивосток на страницах учебников фортификации далеко за пределами России.

С фортов ни разу не прозвучало ни одного боевого выстрела, но их строительство оказало серьезную услугу городу: немалые деньги, отпущенные на работы, в конечно счете, послужили развитию городской экономики - в ранее труднодоступных местах пролегли отличные дороги, которыми пользуются до сих пор, благодаря проходке подземных галерей удалось провести геологическое обследование полуострова, в иных условиях невыполнимое. А после того, как форты утратили чисто военное значение, они превратились в отличные объекты для экскурсий, каких мало где можно отыскать.

Один из таких фортов, значащийся на старинных картах под номером вторым и носящий гор-

the suburbs of the Artyom town begin. There is a
legend about the ancient God of Life who walked a
long way and decided to rest somewhere around
here. He was so tired and absent-minded that
nevernoticed the hole in his sack, and thus various
and very different plants and animals escaped and
spread all across the countryside. Nowadays taiga
pines grow right beside subtropical vines, and
southern and northern plants coexist peacefully.
There is a lot of different mushrooms and berries,
including famous Chisandra chinensis, wild
apples, grapes and strawberries. Far-Eastern
aralia and other plants are well-known for their
tonic and other medical properties. The suburb
forests are exceptionally picturesque and we should
be grateful to the ancient god with the hole in his
sack for this abundance. Due to the proximity of the
city, the animal life is not so rich: a lot of black and
red squirrels, hedgehogs, some hares and foxes.
Sometimes bears and tigers stray from wild taiga
but those occasions are rare indeed. In the damp
places there live several species of snakes, and in
the underground galleries of the city fortress there
are quite unique blind frogs. The streams are
inhabited by small fish - heirs to the proud salmon:
after the artificial lakes were created the poor
things were blocked from the sea and are now
transformed beyond recognition. Those lakes built
on the Sedanka and Lyanchikhe Rivers are the chief
water sources for the city. They were created as a
part of the city fortifications in 1910 - 1916 that
were classic in their time. As for the rest of those
places' history, no written records are kept, and the
only sites of interest are the old barrows on the
banks on Shufan River in the north of the Amursky
Gulf, the remnants of old Chinese dwellings in the
woods and the defence trenches of the Russian-
Japanese war near city limits. Even though no
combat took place in the suburbs, the city owes
much to the military engineers. The fortification
works in the early 20th century served well to the
city economy: roads were clad, geological surveys
held, and so on. Now the old forts, for example, the
one named after the Emperor Peter the Great that
crowns the Vargin Mt., serve as unique tourist
attractions of great historic value. From the top of
it a magnificent view can be enjoyed in clear
weather: river valleys and the Amursky Gulf to the
west, the Ussuriysky Gulf - four kilometres to the
east, and even the opposite shore almost forty
kilometres away is seen. To the south-west the city
itself is hardly visible.

95

Ветер, дующий с моря, делает деревья похожими на флаги, но не ломает стебли цветов.

Wind from the sea makes trees look like unfurling flags, but does not break flowers' stems.

дое имя "Император Петр Великий", занимает вершину горы Варгина у истоков Большой Седанки. Поскольку эта гора - одна из самых высоких на полуострове, с бетонной орудийной площадки открывается многоплановый вид. Со всех сторон к рвам форта, словно вычерченным по линейке, подступает лес. Он покрывает склоны речных долин и вершины сопок, уходя за горизонт на севере. На запад от горы протянулась, словно след от топора, долина Большой Седанки; вдалеке синеет гладь водохранилища, а еще дальше - Амурский залив. Гораздо ближе к горе находится Уссурийский залив, его воды простираются с востока и кажутся совсем близкими, хотя на самом деле до берега почти четыре километра. Почти рядом видны причудливые кекуры Десантной бухты. При хорошей погоде Уссурийский залив пробивается взглядом насквозь, на сорок километров: вполне различимы белые домики городка Большой Камень, проем бухты Кангауз (Суходол), устремленные в небо вершины горы Пидан и Святой Иосиф, силуэт острова Аскольд за проливом Стрелок. Где-то на юго-западе трудноразличимыми квадратиками виднеются городские кварталы, дальше сверка-

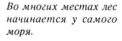

Во многих местах лес начинается у самого моря.

In a lot of places the woods begin right beside the sea.

96

ют на солнце воды Скрыплевского плеса, еще дальше на морской глади раскинулась громада Русского острова. Он заслоняет остальные острова гряды.

Нечто подобное можно увидеть и с вершины хребта Богатая Грива, проходящего с запада на восток севернее горы Варгина и хорошо с нее различимого: точно так же уходит на запад долина реки Лянчихэ, даже водохранилище напоминает Седанкинское; так же простирается на север до горизонта лес, то же море на востоке, но города уже не видно, и поэтому чувство единения с природой здесь сильнее.

Для походов в лес плохих времен нет. Весной зацветают разные виды подснежников, в начале лета появляются побеги съедобного папоротника орляка, середина лета и осень хороши для грибного промысла, а сезон золотой осени манит любителей ягод.

Зимой здесь раздолье тем, кто любит побегать на лыжах: глубокие долины задерживают снег и защищают от любого ветра.

Если же подняться на высокую точку, можно убедиться, что и зимняя панорама пригородного леса - великолепное зрелище: сопки, словно вы-

тесанные из белого мрамора, синь Уссурийского и ледяная белизна Амурского заливов, паутина дорог, тропинок и просек, которые летом не видны, сверкающее зимнее солнце и игра теней в лощинах и оврагах.

Город, замаскированный белизной льда, на таком расстоянии меньше бросается в глаза, его присутствие выдает лишь скопление черных точек среди морского льда далеко на юге: корабли приходят сюда в любое время года.

Восточная сторона полуострова менее цивилизована, чем западная: нет крупных дорог с интенсивным движением, мало жилых поселков, лес гораздо гуще. С горы Варгина, одной из самых высоких в пределах городских земель, при хорошей погоде открывается отличный обзор на берега Уссурийского залива и сплошную лесную чащобу. В скальных обрывах встречаются следы стародавних разработок строительного камня: он пошел на отделку домов центра города.

The eastern side of the peninsula is less innabited than the western one: there is no major highways with intense traffic, villages are less numerous, woods are denser. From the Vargin Mt., one of the highest in the city lands, there opens up a magnificent view over the Ussuriysky Gulf and nearby forests. In the rocky cliffs there can be found traces of old quarries: the stone was used in decorating downtown mansions.

- На крутых склонах сопок у леса еще остались места, не затронутые влиянием строительного прогресса.

At the steep slopes there still are some places where forest is not touched by the so called civilization and progress.

- С вершины горы Варгина хорошо просматривается берег Уссурийского залива.

The Ussuriysky Gulf coastline is clearly seen from the top of Vargin Mt.

- К берегам бухты Горностай лес подступает вплотную.

The woods start right at the waterline of the Ermine (Gornostay) Bay.

Все лето и осень в пригородных лесах растут, сменяя друг друга, разнообразные грибы: ильмаки, сморчки, опята, несколько видов груздей, разноцветные сыроежки, король грибов - боровик и множество других. Россыпь шляпок на зеленом ковре подлеска вносит приятное разнообразие в цветовую гамму леса. Среди множества древесных грибов выделяются целебная чага и дубовики, ценящиеся гурманами китайской кухни на вес золота.

All summer and autumn through different kinds of mushrooms grow in the suburban woods taking each other's place. Among them there is a lot of truly precious ones, especially in eastern cuisines.

Среди растений и деревьев в лесу немало таких, которые дают очень привлекательные плоды и ягоды. Их сбором горожане занимаются с большим удовольствием. Летом на солнечных склонах сопок вызревает земляника, осенью в разноцветной листве скрываются ягоды лимонника, виноград, калина, актинидия - приморский эндемик, барбарис, много боярышника и мелких яблочек. Они не опадают с ветвей всю зиму, и когда ударит морозец, становятся сладкими и душистыми. Знатоки восточной медицины утверждают, что дикие таежные плоды концентрируют в себе жизненную энергию и оттого весьма полезны для здоровья.

Among the plants and trees of the local forests there is a lot of those that bear beautiful fruit. Local people gather them with immense pleasure - wild strawberries, grapes, chisandra chinensis, small apples and others. The apples do not fall from branches all winter long, and when it turns frosty they become sweet and fragnant. The eastern medicine connoseurs say that the wild taiga fruit accumulate life energy and thus are extremely wholesome.

Ягоды и мелкие плоды - непременное украшение природы полуострова Муравьева-Амурского.

Berries and small fruit are a wonderful nature's decoration of the peninsula woods.

Лесные окрестности Владивостока изрезаны речными долинами, между которыми возвышаются сопки. Благодаря этому, на небольшой площади можно найти участки с весьма разными природными условиями. Соответственно, и обитатели этих участков тоже разные. На каменистых склонах и вершинах хорошо чувствуют себя ели и пихты, рядом в глубоких влажных распадках с мягкой землей растут лиственные породы, а если очень повезет, то можно найти и женьшень. Лианы - виноград, актинидия и лимонник - любят солнечные склоны, а аконит и калина вполне довольствуются тенью. Если, скажем, обойти какую-нибудь сопку вокруг, впечатление остается как от живого музея.

The Vladivostok forest neighbouhood is full of river valleys, hills and mountains between them. Due to such a peculiar terrain, in a relatively small area there may be found different natural conditions. The dwellers also vary. At the mountain tops and rocky slopes there are fir trees, in the deep damp valleys with soft ground there grow leaf-bearing plants, and if you are very lucky, you may even find a ginseng root. The vines of wild grapes, chisandra and actinidia like sunny places, other ones, like aconite, prefer shade. If you happen to walk round some hill, you may find yourself in a real museum of natural history.

Осень: деревья отдали летнюю силу плодам и корням; под остывающим солнцем змеи греют холодную кровь...

It's autumn... Trees have given all their summer power to fruit and roots... Under the cooling sun snakes warm their cold blood...

Крупных животных в лесах полуострова нет, для них он несколько тесноват. Тем не менее из основного массива Уссурийской тайги сюда время от времени в поисках добычи наведываются тигры. Местные жители называют тигра "амба" - властелин, три полосы на его голове складываются в иероглиф "король". К пятнистому оленю также относятся с уважением, но без боязни и вполне заслуженно называют его "цветком". В окрестностях Владивостока есть несколько питомников, где можно видеть этих великолепных животных.

There are no large animals in the peninsula forests, the territory is too small for them. Anyway, from time to time the tigers visit it in search of prey. The local population called the tiger "amba" - the master, and three stripes on its head show the Chinese character meaning "king". The deer is also respected and lovingly called "the flower". In Vladivostok suburbs there are several farms where one can see those magnificent animals.

ДОМ СИНЕГО ДРАКОНА

THE HOUSE OF
BLUE DRAGON

Птицы - единствен-
ные обитатели мно-
гих мелких скал,
выступающих над
гладью заливов.

*Birds are the only
dwellers of the small
rocks in the Gulf.*

ЗДЕСЬ ВСТРЕЧАЮТСЯ
МОРЕ И ЛЕС

WHERE THE SEA MEETS
THE WOODS

Без моря Владивосток немыслим. Это касается не только гавани, от которой он начался, но и всего морского обрамления полуострова - пригородных бухт, островов, проливов. Море формирует здешний климат, поставляет пищу, служит дорогой и отличным отдыхом. Но, несмотря на тесную взаимосвязь с материком, акватория залива Петра Великого представляет собой совершенно самостоятельную и уникальную географическую зону. На полуострове к ней относятся берега к северу от бухты Промежуточной (Уссурийский залив). Уссурийский залив гораздо шире и глубже Амурского, волны мощнее, а температура воды ниже - но не настолько, чтобы снизить удовольствие от летнего отдыха во всем его разнообразии. Не удивительно, что бухты (Шамора) Фельдгаузена, Емар и Хуан-дон давно привлекают горожан. О прошлом этих бухт мало что известно. Были здесь маленькие поселки рыбаков. Известна бухта Шамора и как средоточие искусств: летом под мысом Крутым проходят фестивали бардов, на которые съезжаются любители со всей России.

It is difficult to imagine Vladivostok without sea - not just the harbour from which it started, but the whole loval scenery: bays, islands, straits.
The Sea of Japan forms all the climate here, gives food, provides transportation and serves as an excellent recreation.
Despite the close connection to the continent, the Peter the Great Gulf aquatory is the quite independent and unique geographical zone.
The Ussuriysky Gulf is much wider and deeper than the Amursky, the waves there are stronger and colder - but still not likely to spoil your summer swimming.
The Gulf bays - Shamora (Feldgauzen), Yemar and Huandong - are the city's favourite places. Formerly, small fishermen's villages were located here, and in 1943 the giant squid up to 18 metres long was caught and towed to the Shamora beach (unfortunately, it did not turn out to be edible). The sand beaches are not the only popular thing here - the Shamora Bay is well-known for its song-contests held in late summer at the base of the Steep (Krutoy) Cape.

К северу от города, где лес подходит к морю, находятся любимые места отдыха горожан. Добираться туда нетрудно, и в теплое время года, особенно по выходным, на берегах пригородных бухт всегда много людей. Близость леса создает приятную прохладу. Пляжи западного берега полуострова мелководные, морская волна невысока. Те, кто любит высокий прибой и глубокую воду, предпочитают бухты восточного берега.

To the north from the city, where the woods are near the shore there are favourite recreation places of the city-dwellers. It is not so difficult to get there, and when it is warm there is a lot of people in the suburban bays, especially on weekends. In the shade of the woods it is pleasantly cool. On the western side of the peninsula the beaches are with shallow water and low waves. Those who like high tides and bigger depths, prefer the eastern beaches.

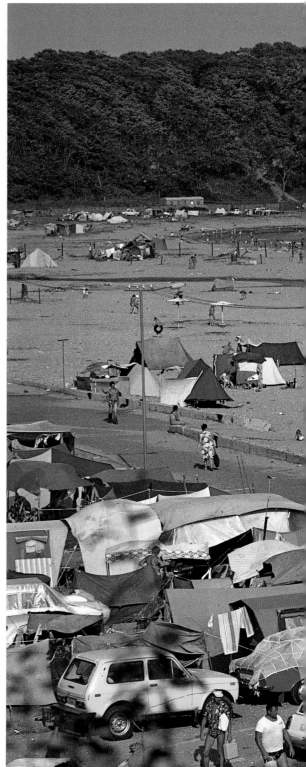

Жаркий летний день лучше всего провести у моря.

It is better to spend a hot summer day at the beach.

В бухтах Уссурийского залива рождаются летние туманы.

In the Ussuriysky Gulf bays the summer fogs are born.

МЕСТО, КУДА УПАЛ
ЛУННЫЙ СВЕТ

THE PLACE AT WHICH
THE MOONLIGHT FELL

Старинная легенда повествует, что в давние времена один из первых правителей Громоподобного царства Бохай совершал инспекторскую поездку по своим серо-восточным владениям. Судя по всему, правитель питал слабость к морю и кораблям, поскольку, присмотрев обширный гористый остров у берега материка, повелел найти там удобную гавань и устроить военно-морскую базу. В те времена такое дело, как выбор места под населенный пункт, да еще и столь важный, непременно нужно было согласовать с духами и богами. Поэтому вполне естественно, что сопровождавший государя геомант установил походный алтарь и послал в вышние сферы соответствующий запрос. Долго не было никаких знамений, и когда присутствовавшие начали склоняться к пессимизму, сквозь разрыв в облаках хлынул свет восходящей луны и узким лучом осветил одну из бухт острова. Там и была заложена гавань, получившая название Крепость Лунного Сияния; впоследствии это имя распространилось на весь остров. Было ли так на самом деле - ручаться нельзя, поскольку в известных на нынешний день исторических хрониках этого эпизода нет. Впрочем, до сих пор еще

There is an ancient legend about one of the first rulers of Bokhai the Thunderlike Kingdom, who once inspected his north-eastern territories. He decreed to build a naval base at the great mountainous island near the continental shore. The place had to be approved by the gods. All due rites were performed but the gods kept silent. When all the present started to despare, through thick and ominous clouds one sharp ray of moonlight fell on one of the island bays. Thus, the harbour was chosen that became known as the Moonlight Fortress. Unfortunately, no written chronicles were preserved from those times, but on the 18th century East-Asian maps there the island is marked, named Yohangatun, which can be translated somewhat to that sense. To the local people this island is known as the Russian Is.
It is separated from the mainland by Bosphorus the Eastern and approximately equals the whole city itself in its territory. Its flora and fauna do not differ much from those of the peninsula, plus a lot of beautiful deer much cared for by the locals. All rivers are not very long.
The highest point is the Mountain of Russians. Its pyramid dominates the northern part of the island.

не найдено ни одной подлинной летописи этого царства, и о его истории приходится судить по записям историографов соседних стран. Однако на картах Восточной Азии, составленных в начале XVIII века по местным источникам, значится остров Йохангатун, что можно перевести именно в таком смысле. Владивостокцам сей богами указанный остров хорошо знаком под названием Русский.

По площади Русский остров, отделенный от материка проливом Босфор Восточный и являющийся частью одного из городских районов, примерно равен всему городу вместе с изрядным участком пригородного леса, от которого его природа почти не отличается: те же растения, те же птицы и зверюшки. Много прекрасных пятнистых оленей - местные жители их любят и берегут. Речки на острове маленькие, горы и долины не подчиняются поперечно-широтному распределению, как на полуострове. Самая высокая точка - гора Русских. Она возвышается гигантской пирамидой над северной частью острова. Подъем на вершину по старинной извилистой дороге довольно долог, но окупается сторицей по завершении: на открывающийся пейзаж стоит посмотреть. Это можно сделать с бруствера мощного форта, построенного здесь в 1901 году: естественно, в те времена он предназначался вовсе не для созерцания пейзажей - отсюда было удобно забрасывать снарядами бухты в том случае, если бы неприятель дерзнул высаживать на остров десант. Сейчас никаких пушек здесь, конечно же, нет, и тишину ничто не нарушает. Первое, что бросается в глаза с горы - длинная и узкая бухта Новик, прорезающая почти весь остров с юго-востока на северо-запад. По ее берегам расположены основные населенные пункты острова: Подножие у подошвы горы Русских, Шигино, Церковная, Экипажная, Минка, Мелководная. Население острова невелико, места хватает всем, и никто не мешает друг другу.

За водной полосой Новика протянулся обширный Саперный полуостров, от которого искусственным каналом отсечен небольшой остров Елены, сплошь покрытый лесом. За каналом лежит гладь Босфора Восточного, хорошо просматриваются бухты Диомид и Золотой Рог, громоздящаяся над кубиками городских домов гора Орлиное Гнездо и дальше - цепь Южно-Седанкинских высот. Неплохо виден с горы и противоположный берег Амурского залива: полуостров Песчаный, зубчатые горы на го-

ризонте, Столовая гора. Обзор на восток прикрыт Саперным полуостровом; на его берегу находится еще один поселок - Поспелово, на юге - сплошная бахрома леса и высоты горы Главной в южной части острова.

К югу от устья Новика вдается в берег бухта Бабкина. Полуостров в этом месте похож на профиль ослика или кенгуру: там, где должны находиться уши, в море торчит сдвоенная скала, которая так и называется - остров Уши.

Далее на юг следует глубокая и хорошо прикрытая от ветра бухта Рында, еще южнее - довольно крупная бухта Воевода.

Названия бухт Новик, Рында, Воевода, Новый Джигит, а также Аякс и Парис даны в честь кораблей гидрографической службы времен первых съемок берегов, а мысы получили имена членов их экипажей - Новосильского, Ларионова, Елагина, Старицкого, Половцева, Васильева, Игнатьева, Вятлина, Шмидта, Ахлестышева и других, не менее достойных.

Если следовать от мыса Поспелова на юго-восток, дорога приведет сначала в бухту Аякс, со всех сторон отороченную лесом, а потом в спокойную бухту Парис.

Это одна из красивейших бухт всего залива: причудливо искривленные деревья на прибрежных откосах, каменный островок с небольшой рощицей, изломы береговой черты и набегающие друг на друга отроги сопок словно сошли с картины средневекового китайского мастера, работавшего в стиле "чань".

Перевалив через перешеек полуострова Каразина, защищающего бухту Парис от восточного ветра, можно попасть на низменные, поросшие высокой травой берега мыса Ахлестышева. Летом здесь - рай для отдыхающих: захотел - купайся в мелкой, спокойной, хорошо прогретой лагуне к западу от мыса, захотел - борись с волнами Уссурийского залива с восточной стороны. Уходящие на север отвесные серо-стальные утесы мыса Каразина и виднеющийся вдали остров Скрыплева способны вдохновить любого художника.

Для того, чтобы окинуть взором значительную часть юга Русского острова, имеется несколько удобных горных вершин.

На северо-восток уходят обрывистые берега; на юге далеко вдается в море скалистый мыс Вятлина, от его оконечности к югу отходит и теряется в море длинный риф - словно мостовая из огром-

ных квадратных плит; на западе вздымаются буруны, омывающие узкий и длинный мыс Тобизина. Он похож на плывущего дракона, разрезающего волны.

В южной оконечности мыса есть глубокая пещера, наполовину заполненная водой - словно драконья пасть. Дальше, за бухтой Новый Джигит возвышается остров Шкота, похожий на низкий купол. Еще дальше виднеются высоты острова Попова.

Если обычно осмотр побережья с вершин гор производится как бы изнутри, из глубины суши, то центральная высота острова Шкота позволяет взглянуть на южный берег Русского острова снаружи, со стороны моря.

В восточном направлении от этой горы желтеет песок пляжей бухты Холуай, мрачно нависают вертикальные плоскости скал Тобизина.

На западе раскинулась расширенная часть пролива Старка, ограниченная с севера берегом Русского острова, где скалистые обрывы перемежаются галечными пляжами, к одному из которых длинной дамбой последовательно присоединены острова Энгельма и Лаврова, а с юга - островами Попова, Наумова, Малым Клыкова. Широкий плес между островом Шкота и меньшими островами на западе, согласно местным легендам, считался дворцом Синего Дракона, повелителя стихий.

Действительно, совершенно отвесные ровные скальные обрывы высотой почти в сто метров очень похожи на стены грандиозного здания, крышей которого служил купол Вечного Неба.

Трудно сказать, связаны ли эти легенды с действительно бывшими здесь когда-то катаклизмами, но во время тайфунов с ураганными ветрами волны, разбивающиеся на обычно невидимом мелководье, выявляют у островов Клыкова, Наумова и Малого отчетливо заметную кольцевую структуру - не остатки ли древнего вулканического кратера?

С запада от Русского острова отходит широкий полуостров, очертаниями напоминающий Испанию в миниатюре.

До 1909 года он так и назывался - Испания, но в честь одного из выдающихся героев русско-японской войны, оборонявшего Порт-Артур, получил новое имя - Генерала Кондратенко. Полуостров Кондратенко необитаем, лишь время от времени сюда заходят грибники и наезжают на сенокос.

An old road leads you to the top, from whence magnificent vistas open up for the sightseer.

The old fort built here in 1901 is all quiet now, even though it was not meant for sightseeing - it had the best defence position on the island.

From the south-east to the north-west below the mountain the island is traversed by the long and narrow Novik Bay. On its shores there are situated all local villages - Podnozhie, Shigino and others. The population is rather small.

From the sea the bay is separated by the Sapper (Sapyorny) Peninsula with the small artificial Helen (Yelena) Island on the tip, covered with forest.

From the top all the Strait aquatory is clearly seen, as well as the city districts and bays.

The other side of the Amursky Gulf also presents a good view in clear weather - the Sandy (Peschany) Peninsula and tFhe Table (Stolovaya) Mt.

To the east the view is blocked by the Main (Glavnaya) Mt. with dense woods corering it.

To the south there is the picturesque Babkin Bay with the peninsula silhouette reminding of a kangaroo or a donkey.

The ears of that figure are presented by the actual double rock in the sea, called the Ears (Ushi) Is. Further on south there are more bays and capes named after vessels and officers of the Hydrographic Service, as well as their friends.

The Paris Bay is one of the most beautiful, reminding one of the ancient Chang tradition of painting by Chinese masters. Steel-gray rocks of the Karazin Cape, meadows of the Akhlyostyshev Cape and other places indeed are capable to feed the imagination of any artist.

The rocky Vyatlin Cape looks like a giant pavement leading away and down into the sea, the long and narrow Tobizin Cape is like a dragon with its mouth open - there is a deep cave at the end of it.

At the west of the Russian Is. there is the peninsula loking amazingly like a small Spain. Up until 1909 it had beencalled so, but then it was renamed after one of the Russian Port-Arthur defence heroes General Kondratenko.

Another legend is connected with the wide and calm area between the Russian Is. and nearby smaller ones - Engelm, Lavrov, Popov etc.

This place was believed to be the palace of the Blue Dragon - with 100-metres vertical rock walls of the islands' shores and the Eternal Sky as the cupola.

125

СОКРОВИЩЕ ЖДЕТ
СВОЕГО ОТКРЫВАТЕЛЯ

THE TREASURE LIES WAITING

Предание говорит, что когда-то, в давно ушедшие времена, из далекой восточной страны, скорее всего - из Японии, на материк возвращалось посольство. При этом либо послы чересчур загостились при радушном дворе микадо и пропустили благоприятное для отплытия время, либо просто поскупились на жертвы морским драконам, но в пути корабли застиг шторм. Несколько дней их швыряло как щепки, снесло все мачты, весла и рули, а затем корабли потеряли друг друга из виду. На флагмане выбросили прочь все тяжелое и без различия чинов и рангов вычерпывали воду, не уставая молить богов о спасении. Наконец разгневанные драконы успокоились, ветер стих, и сооружение, бывшее раньше горделивым кораблем с раззолоченными надстройками, а теперь больше похожее на вязанку хвороста под самодельным парусом, медленно двинулось в ночную мглу. К румпелю встал сам посол, ибо никто из оставшихся в живых не имел навыков судовождения. Солнце давно село, на небе - ни проблеска, куда плыть - никто не знал. И вдруг низко над горизонтом засверкала яркая звезда. Знамение! - и кормчий, не раздумывая, направил судно в ее сторону.

The story goes that a long time ago from one of the Eastern countries the ambassador was returning home. His ship was overtaken by terrible storm, and when the infuriated sea dragons calmed down at last, the ship with her sails all torn was in the waters unknown. It was very dark, and suddenly over the horizon there appeared a single bright star. It was clearly a miracle, and the ambassador steered the ship to it and eventually led her to some sand beach. Since that time, the place has been called the Lonely Star Island. On modern maps it is marked as the Popov Is.

The trees here are small and gnarled, the fauna is poorer but the sea abounds with fish. The majority of local population is occupied with the fish-processing at the large plant built in the Western Bay. Another village is situated on the shore of the Stark Strait. There are the small shipyard and two biological stations belonging to the Academy of Science and the Fisheries Research Institute.

In 1870 - 1880's here the headquarters of Chinese buccaneers was located. They terrified all local folks quite freely until they killed several Russian military topographers and robbed the passing vessel that carried some large sum of money to

Через некоторое время волны вынесли корабль на песчаный пляж неизвестного острова, который с тех пор стал называться Островом Одинокой Звезды. Предание утверждает, что это - тот самый остров, который в наши дни значится на картах как остров Попова. Может быть, это так и есть.

Попов, как его для краткости именуют местные жители, значительно уступает в размерах своему соседу - Русскому, и заметно отличается от него по внешнему виду. Деревья здесь уже не такие рослые, стволы их искривлены, много кустарников. Это, как говорят ботаники, "типично островная флора". Животный мир здесь заметно беднее, но море богато рыбой. На ее добыче и переработке специализируются большинство островитян, которые обслуживают крупный рыбокомбинат на берегу Западной бухты. Вокруг комбината раскинулся поселок. Еще один поселок - на берегу пролива Старка. При поселке имеются небольшая судоремонтная мастерская и база Института биологии моря ДВО РАН и ТИНРО. Еще одна научная полевая станция, принадлежащая Академии наук, уютно расположилась в бухте Алексеева на севере острова.

Грот на острове Попова служил когда-то склепом вождю грозных пенителей моря.

This cave at the Popov Island was once a tomb of the ancient sea-roamers' chief.

Акватория бухты используется для искусственного разведения съедобных моллюсков.

Уже во вполне исторические времена, то есть в 70-80-х годах XIX века, здесь была база китайских морских пиратов-хунхузов, которые не давали житья прибрежному населению.

После того, как они убили нескольких русских военных топографов и ограбили судно, везшее во Владивосток крупную сумму денег, командир военного порта послал на остров шлюпочный десант - и с пиратами было покончено.

Правда, награбленные деньги так и исчезли, что дало обильную пищу всякого рода рассказам о зарытых на острове сокровищах.

Бывшая пиратская база хорошо просматривается с горы Попова - наивысшей точки острова. Синяя гладь бухты с бусинками буйков на морской плантации, длинный полуостров, заросший густым лесом, узкая горловина пролива Старка и шапка мыса Рагозина, мысы Русского острова и белые крапинки домов Владивостока - таким предстает северо-восточное направление. На западе выделяется полуостров Янковского и подпирают небо Черные горы.

Это картина продолжается и на север, где отчетлив полуостров Песчаный.

На юго-западе, за десятками миль морской глади, виднеется треугольничек горы Туманной на мысе Гамова - западная граница залива Петра Великого; гораздо ближе из моря, как зубы, торчат скалы Два Брата и маленький островок Козлова. На востоке, за проливом Старка, режет волны остров Шкота.

Юг острова примечателен красно-порфировыми скалами мыса Ликандера и трехкилометровым пляжем бухты Пограничной с синеватыми песками, перемешанными с мелкими перламутровыми раковинами. Купаться здесь летом - одно удовольствие.

Вероятно, посольский корабль вынесло именно сюда. К северу от бухты начинается скалистый берег, который тянется на северо-восток до мыса Проходного.

Вертикальный утес мыса рассечен трещинами и промоинами так, что получилось несколько ровных отвесных стен. Это место, подобно скалам острова Шкота, тоже связывается с дворцом Синего Дракона. Говорят, пираты приносили ему жертвы, сбрасывая со стен пленных: высота - метров шестьдесят; жутко, но красиво.

Воды вокруг острова Попова издавна служат излюбленным местом для асов подводного плавания: в течение часа можно добыть с гарпуном вполне приличный улов и испытать массу положительных эмоций.

Waters of the Popov Is. are the favourite place for scuba and snorkeling fans: besides, in a matter of hour you can have a considerable catch and a lot of pleasure.

Vladivostok. On the orders from the city governor, they were done with by force, but the money were never found. Some say it is still hidden somewhere. It is good to spend summer vacation here among the red rocks of the Likander Cape or on the blue sand beaches of the Borderline (Pogranichnaya) Bay, where the ancient ambassador's ship was believed to be washed ashore. In the nearby rocks there existed some kind of the buccaneers' shrine where they supposedly made human sacrifices throwing their prisoners off 60-metres stone walls.

ОЖЕРЕЛЬЕ РУСАЛКИ

THE MERMAID'S NECKLACE

Вслед за островом Попова дальше к югу уходят, как бы постепенно погружаясь в воду, острова Рейнеке, Рикорда, Кротова, Сергеева, Моисеева, Желтухина и Циволько. Особняком, по обе стороны от главной оси архипелага, расположились острова Пахтусова, Верховского и одинокий остров Карамзина. Эти названия даны в честь морских офицеров-гидрографов, как принимавших участие в описи здешних берегов, так и тех, кого они с теплом вспоминали. В хорошую погоду с большой высоты острова и рифы, окаймленные белой пеной прибоя, похожи на небрежно брошенное на синий бархат ожерелье морской царевны с разноцветными камнями. Среди этих островов обитаем только Рейнеке. Он не имеет бухт, глубоко вдающихся в сушу, берега его скалисты.

Отделенный от Рейнеке проливом Японец (был в свое время такой парусно-винтовой транспорт, принимавший участие в гидрографической съемке залива) остров Рикорда достаточно велик. Очень удобна и красива его Восточная бухта с песчаным пляжем, окаймленным скалами. Ей остров обязан своим прежним названием Шамоудао, то есть "Остров с чудесным песком".

Next to the Popov Is. there is a chain of the smaller ones: Reyneke, Ricord, Krotov, and others. From the great height they look like some sea princess' jewels carelessly tossed on blue velvet. The Reyneke Is. is the only one where the people live among rocks. Separated from it by the Japanese (Yaponets) Strait there is the bigger Ricord Is. with very convenient and picturesque Eastern Bay. Its sand beaches inspired the ancient name translated as The Island With Beautiful Sands. To the south of it there is the big stone called The Lion, looking like the statue of that animal.

All the rest are just rocks with a touch of underbrush and a lot of birds. The reefs dressed in tidal mists and foam are like some particles of the initial creation process left to us.

У южной оконечности острова выступает из воды камень Льва, действительно напоминающий статую царя зверей.

Острова Кротова, Сергеева, Моисеева и Карамзина весьма малы и служат прибежищем морским птицам.

Остров Желтухина - побольше и имеет низенькую растительность, Крохотный остров Цивилько, отошедший к западу от основной группы островов, так и остался бы ничем не примечательным куском скалы, если бы не красивая пещера на южной его оконечности.

По ночам отсюда мигает маячок: "Здесь я! Держись подальше!"

На главном острове группы Пахтусова растет высокая трава и кустарник, в которых прячутся развалины построек; в бухточке сохранился ветхий пирс.

А острова Верховского в двух милях к востоку от Рейнеке - просто группа скал и рифов, впрочем, весьма живописная. Окутанные радугой брызг, в гомоне чаек, они предстают как осколки первоматерии начала творения.

ЗАМОРСКАЯ ТЕРРИТОРИЯ

THE OVERSEAS TERRITORY

Если все описанные выше земли географически имеют к Владивостоку четкую привязку, чем обосновывается их подчинение городу, то полуостров Песчаный по всем признакам должен был бы принадлежать Хасанскому району Приморского края. Тем не менее, он считается частью города - и, между прочим, во многих отношениях далеко не худшей.

Полуостров, как бы отпочковывающийся от западного берега Амурского залива, отстоит от города на десять километров и занимает около 15 квадратных километров. Небольшой населенный пункт у одноименного мыса, к которому причаливает пассажирский теплоходик, да поселок у перешейка на западном берегу - вот и вся здешняя урбанистика. В отличие от островов, за исключением разве что Русского, растительность Песчаного имеет вполне материковый облик: деревья здесь хотя и не особенно высокие, но прямые, лес - тенистый. Знаток тибетской медицины найдет на горных склонах множество необходимых для него растений - впрочем, простому любителю подышать свежим воздухом тоже есть где размяться после трудовой недели. На Песчаном нет обрывистых берегов.

По осени отлично ло-
вится в Уссурийском
заливе селедка. В эту
пору сюда собирается
столько людей, что
водная гладь стано-
вится похожей на ры-
бацкий городок.

In the autumn the great
place for herring fishing
is the Ussuriysky Gulf.
Its aquatory draws so
much people that it starts
to look like a fishing
town.

При желании его можно обойти по периметру, ни разу не оторвавшись от уреза воды. Точно так же его можно обойти по тропинке по гребню хребта, венчающего полуостров. Одна из его вершин в южной точке, нависающая над мысом Ограновича подобно рогу сказочного единорога-цилиня, приносящего счастье, предоставляет желающим возможность оглядеть окрестности. Владивосток на востоке выглядит длинной линией домов, протянувшейся довольно далеко. Над домами нависают гряды гор - представить Владивосток без сопок просто невозможно.

Пассажирский кораблик, отошедший от пирса полуострова Песчаный, мчит на восток и вскоре причаливает в Спортивной гавани.

Это - центр города: набережная, городской пляж, корпуса спортивного комплекса, бетонный массив и орудия старинной береговой батареи, гостиницы.

Здесь начинается Светланская улица, дальше вздымается пирамида Тигровой сопки, с которой мы начинали осмотр Владивостока. Круг замкнулся. Как говорили в старину, "Да будут все сущие осенены покровительством Вечного Синего Неба и драконов, детей Его".

The Sandy Peninsula on the opposite side of the Amursky Gulf is another administrative, though not geographical, part of Vladivostok. It lies 10 kilometres from the downtown across the water, and equals 15 sq km. The passenger ferry runs to the small village on its western shore near the connection with mainland.

It is the beautiful place for camping and plant-gathering, as a lot of precious medical herbs grow there. One may walk around the whole peninsula in several hours' time right along the coastline or by the path running on top of the low ridge. One of its hills is crowned by the amazing rock looking like a horn of some mythical unicorn. From the top the Vladivostok skyline is a marvellous sight on the background of deep sky.

The ferry from the Sandy Peninsula chugs east and soon reaches the Sports Harbour. This is the downtown: the city stadium, hotels, cinemas. From here the main street, Svetlanskaya, starts. To the right there stands the cone of the Tiger Mt. from which we began our sightseeing tour. The circle is closed. As the ancients said, "Let all the existent be under hand of the Eternal Blue Sky and the Dragons, Its children".

Бухта Шамора, середина лета. Ежегодный фестиваль бардов стал традицией этих мест.

Shamora Bay, midsummer. The annual song festival has become a good local tradition.

Мимо Токаревской косы суда проходят днем и ночью.

The Tokarevsky Spit is passed by vessels day and night.

Южная оконечность полуострова Басаргина. Много домов в городе построено из камня, добытого в его обрывах.

The southern end of the Basargin Peninsula. A lot of Vladivostok houses is built from stone obtained in its quarries.

Солнце, снег и морской ветер от души поработали над прибрежными скалами.

Sun, frost and winds from the sea diligently toiled over the coastal rocks.

С запада и востока у входов в пролив Босфор Восточный стоят как часовые Токаревский и Басаргинский маяки. Их белые башенки, увенчанные красными шлемами, хорошо видны издалека даже в пасмурную погоду. Один из них устроился на низком искусственном островке, другой забрался на высокую скалу. Когда возвращаешься из плавания и замечаешь у горизонта световые сигналы одного из них, можно считать, что ты уже дома.

From the west and the east the Bosphorus the Eastern entrances are guarded by the Tokarevsky and the Basarginsky lighthouses. Their white towers under red caps are clearly seen from far away even in nasty weather. One of the lighthouses sits on the small artificial island, the other one climbs high on the rocky cliff. When you return from seas and spot their light on the horizon, you may think yourself at home and relax.

С орудийной площадки батареи 55-й высоты у восточного входа в пролив обзор достигает нескольких десятков морских миль. На среднем плане - полуостров Басаргина, дальше раскинулся Русский остров.

View from the 55th Height battery near the eastern entrance to the Strait ranges several dozen miles. In the middle - the Basargin Peninsula, further on there looms the Russian Is.

Помимо маяков, на страже входов в Босфор Восточный в свое время стояли и другие часовые, гораздо менее заметные со стороны - батареи стационарной береговой артиллерии. Строились они с девяностых годов XIX века, были снабжены множеством вспомогательных сооружений и приближаться к внешнему рейду Владивостока с недобрыми намерениями желающих ни разу не нашлось, хотя за всю историю города поводов для этого было предостаточно. Пушки и мортиры с батарей отправили на фронты еще во времена первой мировой войны и более не возобновляли. С тех пор успели зарасти лесом бруствера и подъездные дороги, но несокрушимый бетон простоит еще не одно столетие, напоминая о временах угольных броненосцев и черного дымного пороха...

Besides the lighthouses, the Strait was also guarded by somewhat less conspicuous guards - the batteries of coastal artillery. They had been constructed in 1890s, and no-one wished to reach Vladivostok roadsted with ill intent, though there was more than enough chance to do so. The guns and mortars were taken to the fronts of the First World Far. The forts' trenches and roads have been long overtaken by forests, but the old concrete will remind the children of the times of coal dreadnoughts and black smoke powder...

Остров Елены, отде-
ленный от основной
массы Русского остро-
ва каналом, мало посе-
щается людьми и
поэтому на нем само
собой возникло нечто
вроде ландшафтного
парка, где под покро-
вом леса сохранился
целостный комплекс
сооружений береговой
обороны последнего де-
сятилетия XIX века.
Подобных комплексов
в России более нигде
нет, поскольку ос-
тальные морские кре-
пости Российской
империи строились в
другое время и по дру-
гим проектам.
На снимках - цент-
ральный пороховой по-
греб группы береговых
батарей.

*The Helen (Yelena)
Island, separated from
the main bulk of the
Russian Is. by the
channel, is seldom
visited, so it was
preserved as some kind
of natural park with
unique complex of the
coastal defence system
dated by late 19th
century. All the rest of the
Russian sea fortresses
were constructed in
different time and
according to different
projects.
The photo shows the
central powder depot of
the coastal artillery
battery.*

Подводным плаванием занимаются на островах архипелага Императрицы Евгении не только досужие любители. Время от времени там появляются гидробиологи, зоологи, экологи и иные очень серьезные ученые из исследовательских институтов Владивостока, работающие по морской тематике. Кроме того, три научные станции находятся прямо на островах Попова и Рейнеке, что позволяет наблюдать обитателей моря в их естественной среде. Лечебные свойства препаратов из самых невзрачных морских тварей были хорошо известны еще колдунам каменного века. С тех пор в научной практике роль заклинаний уменьшилась, зато вошли в полную силу точные количественные методы исследования. На их основе происходит переосмысление опыта древних.

At the Empress Eugenia Archipelago you can see not only the underwater swimming fans. Very serious scientists from Vladivostok marine institutions frequent the islands - hydrobiologists, zoologists, ecologists. Also, three scientific stations are situated on Popov and Reyneke, and the personnel there observes and studies the sea life as it is. The medical properties of different sea-dwellers' preparations have been known to the people since prehistoric times. Since then the role of voodoo in the scientific practice has been considerably reduced, and accurate quantitative methods has taken its place, providing new approach to ancient experience.

Морские звезды принесли мировую славу многим корифеям молекулярной биологии.

The starfish helped to attain worls-wide fame to a lot of specialists in molecular biology.

На берегах бухты Пограничной стало бы пусто без людей с аквалангами.

The Borderline (Pogranichnaya) Bay beaches would be quite deserted without scubadivers.

Даже в тихую погоду в скалы острова Попова бьют волны открытого моря. Купаться здесь неудобно, но в расщелинах подводных камней всегда много экзотических существ.

Even in calm weather the Popov rocks are beaten by open sea waves. It is not very convenient to have a swim here, but the stones are inhabited by many an exotic creature.

Берега острова Попова изобилуют обрывистыми скалами; когда-то с них пираты высматривали в море торговые суда.

Once upon a time the buccaneers looked for their prey from the Popov Island cliffs.

Восточная оконечность острова Попова согласно преданиям считается одной из стен дворца Синего Дракона.

The eastern Popov Is. is one of the legendary walls of the Blue Dragon Palace.

Мыс Проходной рассечен расселинами. Легенды связывают их с жуткими историями о жертвоприношениях, происходивших здесь в давние времена.

The Corridor (Prokhodnoy) Cape is cut with such gashes in rock. There are legends about ancients making human sacrifices here.

В юго-восточной части острова Попова есть скалистый мыс с галечным пляжем, на котором возвышаются два каменных останца, похожие на выветрившиеся статуи. Местная легенда соотносит их с именами двух великих воинов-чародеев, защищавших берега своей страны от нашествия армии демонов. Они храбро сражались у прибрежных скал и не отступили ни на шаг, а потом произнесли заклинания и превратились в камень, чтобы всегда быть на месте, если враг вдруг вернется. Так и стоят они, много веков наблюдая бесконечную череду солнечных восходов ...

There is the rocky cape with pebble beach at the south-eastern Popov. There are two stones there looking like very old statues. The story goes that two great warriors-sorcerers fought here with the huge army of demons, defending their homeland. They did not yield a square foot of their soil and later turned thevslves into stones to always be on the alert in caes of enemy return. So they stand here watching the eternal change of sunrises...

Мимо мыса каменных воинов каждый день к острову Рейнеке проходит паром.

The ferry to the Reyneke Island runs past the Cape of Stone Warriors every day.

149

Юг острова Попова, часть мелких островов в Амурском заливе и несколько бухт материковой части Хасанского района включены в морской заповедник, образованный Институтом биологии моря Дальневосточного отделения Российской Академии наук. В этих местах сохранилось много первозданных уголков природы, не затронутых влиянием большого города, который находится сравнительно недалеко. Здесь все осталось так, как в те времена, когда мимо лесистых скал проплывали лодки рыбаков каменного века, военные флоты Бохайского царства или пароходы европейцев.

The southern Popov, some of the smaller islands in the Amursky Gulf and several bays of the continental Khasan District constitute the Marine National Park of the Russian Academy of Sciences Far-Eastern Division. A lot of places here are unspoilt by the civilization of nearby city, and wild nature is carefully preserved there. The scenery is now pretty much the same as it was when the shores were passed by by Stone Age fishing boats, Bokhai military fleets or Europeans' stamships.

В этой бухте когда-то спасались от непогоды торговые караваны джонок из Поднебесной Империи.

This bay once protected the merchant boats of Mandarin China.

Но в некоторых местах к берегу опасно приближаться даже в маленькой шлюпке.

But there are some places here where it is dangerous to approach the shore even in a small lifeboat.

151

Издательство "Уссури" выражает благодарность за помощь в создании альбома Администрации г. Владивостока, Приморскому обществу книголюбов, Приморскому объединеному государственному музею им. Арсеньева, арендному предприятию "Приморский торговый Дом книги", издательско-полиграфическому комплексу "Дальпресс".

Special thanks to: Vladivostok City Administration, Primorye Book Club, Primorye Territory Arsenyev Museum, Primorye Book Trade House, Dalpress Publishing Complex.

В ПОДГОТОВКЕ ИЗДАНИЯ
ПРИНИМАЛИ УЧАСТИЕ:

THIS EDITION WAS
PREPARED FOR YOU BY:

Директор издательства
О. Бондаренко

O. Bondarenko
General Manager

Зам. директора
Н. Дроздов

N. Drozdov
Asst. Manager

Редактор Альбома
А. Лобычев

A. Lobychev
Senior Editor

Художественный редактор
Е. Петровский

Ye. Petrovsky
Arts Editor

Корректор
А. Байкалов

A. Baykalov
Asst. Editor

Фото:
Л. Дубейковский,
А. Ештокин,
Г. Ильин,
Л. Якушев,
А. Попов,
Ю. Луганский,
Н. Аюшин,
К. Обезьянов,
Е. Крамар,
А. Воронин,
Г. Бублик,
В. Свиридов,
А. Варфоломеев,
М. Мотовилова

Photographers:
L. Dubeykovsky,
A. Yeshtokin,
G. Ilyin,
L. Yakushev,
A. Popov,
Yu. Lugansky,
N. Ayushin,
K. Obezyanov,
Ye. Kramar,
A. Voronin,
G. Bublik,
V. Sviridov,
A. Varfolomeyev,
M. Motovilova

Пересъемка фотографий:
А. Воронин

Asst. Designer:
A. Voronin

Английский текст:
М. Немцов

English text by
M. Nemtsov

В альбоме использована
живопись и графика
С. Анисимова,
В. Комовского,
Г. Кунгурова,
Б. Лобаса,
И. Рыбачука

Art Contributors:
S. Anisimov.
V. Komovsky,
G. Kungurov,
B. Lobas,
I. Rybachuk

ISBN 5-85832-019-8

© Издательство "Уссури", 1992
© 1992 by "Ussury" Publishing

Автор текста
Н. АЮШИН

Оформление и макет
Г. КУНГУРОВА

Text by
N. AYUSHIN

Designed by
G. KUNGUROV

производство в г. Акита Японии в июне 1992 г.
типография "Таиё Инсацу"